Dùileach

Dùileach

Elemental

Marcas Mac an Tuairneir

evertype
2021

Air fhoillseachadh le/*Published by* Evertype, 19A Corso Street, Dundee, DD2 1DR, Alba/Scotland. *www.evertype.com.*

Teagsa agus eadar-theangachadh/*Text and translations* © 2021 Marcas Mac an Tuairneir.
Aistriúcháin Ghaeilge le Sam Ó Fearraigh.
An deasachadh seo/*This edition* © 2021 Michael Everson.

Luchd-deasachaidh comhairleachaidh/*Advisory editors*: Gillebride MacIllemhaoil, Sam Ó Fearraigh, agus Seaghán Mac an tSionnaigh.

A' Chiad dheasachadh/*First edition* 2021.

Tha clàr-fhiosrachadh foillseachaidh dhan leabhar seo ri fhaighinn bho Leabharlann Bhreatainn.
A catalogue record for this book is available from the British Library.

ISBN-10 1-78201-273-7
ISBN-13 978-1-78201-273-3

Chuidich Comhairle nan Leabhraichean am foillsichear le cosgaisean an leabhair seo.

Clò-shuidhichte ann an Bembo agus ann an **Frutiger** le Michael Everson.
*Typeset in Bembo and **Frutiger** by Michael Everson.*

Còmhdach/*Cover*. © 2021 Daniel Tyminski, www.dtyminski.com.

Do Chiorstaidh Ruadh

Bana-ghàidheal, bana-ghaisgeach,
mo bhana-charaid as fheàrr

Ro-ràdh

Facail, Facail, Facail. Tha na ceudan dhiubh anns an leabhar bhàrdachd seo—chan e annas tha sin, canaidh sibh. Gu dearbh, ach 's e tha annasach mu na facail a tha sibh gu bhith a' leughadh nach robh eòlas sam bith aig an sgrìobhadair orra no dè bu chiall dhaibh 2003, nuair a thòisich e Gàidhlig ionnsachadh.

Rugadh is thogadh e ann a Sasainn le cànan is dualchas na dùthcha sin, ach nuair a thàinig e tarsainn air a' Ghàidhlig, chan e a-mhàin gun do dh'ionnsaich e i gu fileanta, ach ghlac e i le fhiaclan agus chrath e i gus an tàinig na facail nan sruth, le a cuid bàrdachd is òran is ruisg a-mach às a smior.

Shil iad a-mach man shìol air latha frasaidh. Cha do leig e leotha falbh leis a' ghaoith a bharrachd mar is tric a thachras, ach chruinnich e iad agus chuir e iad ann an òrdugh stòlda inntinneach.

Talamh, Uisge, Teine, Àile, Duine, Sluagh—mar a tha feum aig an talamh air uisg', airson àile an duine 's a shluagh. Seo an turas tron lean sinn e, is tron bhàrdachd seo:

Bhon talamh…
Dàl is monadh Eabhraige,
tìr torrach Baile Chaorach a rinn àrach.
Blas mòine air a bhilean is na ghuth,

Gun uisge…
Abhainn a dhealaich an Dubh-linne.

Tro theine…
Teine-ealain ann an iarmailt Dhùn Èideann,

Agus àile…
'S sibh rinn sgleò de na
rionnagan romham a-nochd,

Aon duine…
Feòil is fùil is cnàmh is eanchain.

Am measg sluaigh…
Nuair a thèid a' ghrian fodha,
màirnidh mi oirbh, cuairtichte
le clachan aosmhor;

Agus mar sin air adhart. 'S dòcha gum bi feum air faclan an dràsta 's a-rithist. Tha stuth làidir, comasach anns an leabhar tha seo agus cuid a dh'fhacail air nach eil mi fhèin eòlach. Tha sin mar bu chòir, oir tha gasgaich òg a' chànain a' dèanamh mòran a bharrachd cladhach is treabhadh air facail na rinn sinne. Mo bheannachd air Marcas agus a lethid airson sin. Ma bha sinne sona leis na bh' againn, 's dòcha gun robh sinn a' cur casg air beòthachadh a' chànain ann an saoghal ùr.

'S e Am Bàrd Beag a th' aig' air fhèin, ach a chàirdean, 's e Bàrd Mòr dha-rìribh a th' ann am Marcas Mac an Tuairneir.

Tha mi moiteal às agus a ghrèim air facail Ghàidhlig.

Dolina NicIllFhinnein
Dùn Èideann, Am Màrt 2020

Foreword

*W*ords, *Words, Words*. There are hundreds of them in this volume of poetry—nothing new there, you may say. Indeed, but what is unusual about the words you are about to read is that the writer had no knowledge of them until he started learning Gaelic in 2003.

He was born and brought up in England with the language and heritage of that country, but when he came across Gaelic, not only did he learn it to fluency, but he grabbed it between his teeth and shook it until its words of poetry, song and prose poured like a stream out of its marrow.

They poured out like seed on winnowing day. He didn't allow them to blow with the wind as often happens, but put them in an order, steady and thoughtful.

Earth, Water, Fire, Air, Man, People— as the earth needs water for the beauty of man and people. Here is the journey he takes us on, through his poetry:

> From the earth…
> *The moors of York and the Dales,*
> *their gateway's fertile land that reared him.*
> *Taste of peat on the lips, in the voice,*
>
> To the water…
> *A river that divided Dublin.*
>
> Through fire…
> *Illuminations in the Edinburgh firmament,*
>
> And air…
> *It was you, tonight, who*
> *blurred the stars, before me,*
>
> One man…
> *Flesh and blood and bone and brain.*

Amongst people…
When the sun sets,
I think of you, surrounded
by ancient stones;

And so on. Perhaps we do need words now and again, to be our steer and guide.

The substance of this book is strong and capable and some of words new to me. That's as it should be, as the language's young champion is doing more digging and ploughing than we have, ourselves.By blessing on Marcas and his like for that. It's perhaps we, satisfied with our lot, who have restrained the kindling of the language in a new world.

He goes by the name of Bàrd Beag, but Marcas Mac an Tuairneir is truly a Bàrd Mòr.

I am so very proud of him and his command of our Gaelic words.

Dolina MacLennan
Edinburgh, March 2020

Suibhne is a' Ghealach 2
Suibhne is an Ghealach 4
Sweeney and the Moon 6

Talamh

Talamh 10
Earth 11
Às an Uarach 12
From Above 13
Òran a' Chlamhain-ghòbhlaich 14
Amhrán an Chúir Rua 16
Neòineanan 18
Daisies 19
Portobello 20
Portobello 21
Seòmar-dannsaidh 22
Ballroom 23
Tagradh Nua-dhraoidh 24
Neo-druid's Petition 25

Uisge

Uisge 28
Water 29
Suire 30
Murúch 32
Nereid 34
Maighdean-mhara 36
Mermaid 38
Maighdean-mhara II 40
Mermaid II 41
Maighdean-ròin 42
Rónmhaighdean 44
Selkie 46
Maighdean-ròin II 48
Rónmhaighdean II 48
Selkie II 49
Òran na h-Aibhne 50
Amhrán na hAbhann 51

Teine

Teine 54
Fire 55
Eabhraig 56
Eabhrac 57
Apardjón 58
Apardion 59
Lainnir 60
Loinnir 62
Bean-shìdhe 64
Banshee 65
Balt na Fàire 66
Saighneán san Iarthar 68
Liath-sholas 70
Lilac-light 71

Àile

Àile 74
Air 75
Tromsøya 76
Tromsøya 77
Grioglachan 78
Constellation 80
Òran a' Chalmain 82
Dovesong 84
Là na Nollaig 86
Christmas Day 87

Duine

Duine 90
Man 92
Duf na Nollaig 94
Christmas Pudding 95
Fàs 96
Waxing 97
Anail 98
Breath 99
Arrhythmia 98
Arrhythmia 99
Làmh ri Glèidheadh 100
Hand to Hold 101
Saighead 102
Arrow 103
Là Luain 104
Lá an Luain 106

Sluagh

Ciad-ghin 110
Firstborn 112
Làmh Bheag 114
Wee Hand 116
Nighean a' Phìobaire/Alto 118
The Piper's Daughter/Alto 119
#AgusMise 120
#MeToo 122
Feachd Dubh Dearg 124
Fórsa Dubh Dearg 126
Dùbhlan 128
Dúshlán 130
Peathraichean Neònach 132
Wyrd Sisters 134
Amanuensis 136
Amanuensis 138

Sìth nar n-Eileanan 140
  Síocháin inár nOileáin 142
Beàrnan 144
  Scoilteanna 146
Fìrinn is Breug 148
  Truth and Lie 152
Soisgeulaich 156
  Evangelists 157
Crò-naomh 158
  Sacred Heart 159

Buidheachas 160
  Thanks 162
Aideachaidhean 164
  Acknowledgements 165

Dùileach

Suibhne is a' Ghealach

Na soilleirich an oidhch',
b' fheàrr leams' mo rùn a chumail
is mo mhiann, nach gabhar a sheachnadh fad an là.
Nam shuain, thig mi beò,
agus blàths na grèin dol fodha,
's mi an sgogair, a' dannsadh anns an rathad.

'S tu a' ghealach is tu daonnan gam dhearcadh.
Fomham.
'S mi tha dannsadh ann an deàrrsadh do sholais.
Fomham.
'S tu tha cruinn,
's tu tha coileanta,
fuar is sìor-bhuan.
Sìor-bhuan, na mo sholas.
Do shòlas gam charachadh nad sholas.
'S tu tha glaicte ann an gathan mo sholais.

Na àireamh na rionnagan,
mar as iad d' iarrtasan briste.
'S iad na h-usgaran crocte mu mo bhràghad.
Thig gach tè gu bàs,
mar chuimhne fhèin do laigse
is an creutair neo-choileanta a th' annad.

Ma 's filidh thu, bi ri feallsanachd.
Saoileam.
Nuair a dh'iarras mi, 's tu bhios ri leum.
Saoileam.
'S tu tha bragail,
's tu tha faoin,
ann am breisleach, ann am baoghal.
Sìor-bhuan, na do sholas.
Mo shòlas; gad charachadh nam sholas.
'S mi tha glaicte ann an gathan do sholais.

Na sgrìobh mo bhruadairean,
cha mhi banntair do gheasagan,
fuasglaidh mi mo chridhe bho do ghnìomh.
A' dùsgadh, gheibh mi saors',
le m' òrain na mo phòc',
agus iad a bhios sgaoilte leis a' ghaoith.

'S tu a' ghealach is tu daonnan gam dhearcadh.
Sgrìobham.
An ceò neulach nach fhalaich mo nùidheadh.
D' òran.
'S tu tha cruaidh,
's tu tha cumhachdach,
's mi do thràill air iall d' àill.
Sìor-bhuan, na mo sholas.
Do shòlas; gam charachadh nad sholas
'S tu tha glaicte ann an gathan mo sholais.

Suibhne is an Ghealach

Ná soilsítear an oíche,
b' fhearr liom mé féin a choinnéail faoi rún.
Seo mo mhian nach féidir a sheachaint ar feadh an láe.
I mo chodladh,
tiocfaidh beocht ionam,
agus teas na gréin' ag dul faoi,
is mé an falsóir mé ag damhsa sa bhóthar.

Is tú an ghealach, is do shúil seasta orm.
Fúm.
Is mé ag damhsa i ndealramh do sholais.
Fúm.
Is tú atá cruinn,
is tú atá iomlán,
fuar is síorbhuan.
Síorbhuan, i mo sholas.
Do shólás; slíoctha i do sholas.
Tá tú sáinnithe i ngathanna mo sholais.

Ná háirigh na réaltaí,
mar dá mb'iad d'iarratais bhriste iad.
Is iad an trilsín péarlaí iad, crochta faoi mo chleibh.
Tiocfaidh gach ceann go bás,
mar chuimhne ar do laige,
is an créatúr neamhchríochnaithe atá ionat.

Más file tú, lean le fealsúnacht.
Sílim.
Ar m'iarratas gearrann tú léim.
Sílim.
Is tú atá áiféiseach,
is tú atá dána,
i mearbhall, i mbaol.
Síorbhuan, i do sholas.
Mo shólás; i do chónaí i mo sholas.
Tá mé sáinnithe i ngathanna do sholais.

Ná scríobh mo bhrionglóidí,
ní mise cúnantóir do gheasróige,
scoiltfidh mé mo chroí ó do ghníomh.
Ag dúiseacht, gheobhaidh mé saoirse,
le m'amhráin i mo phóca,
agus iad a bheith scaoilte leis an ngaoth.

Is tú an ghealach 's do shúil seasta orm.
Scríobhaim.
An ceo néaltach nach gclúdóidh mo ghéilleadh.
D' amhrán.
Is tú atá crua,
is tú atá cumhachtach.
Is mé do sclábhaí ar iall do mhéine.
Síorbhuan, i mo sholas.
Do shólás; i mo chonaí i do sholas.
Is tú atá sáinnithe i ngathanna mo sholais.

5

Sweeney and the Moon

Don't enlighten the night,
I want to go unseen,
with my desire, undisguised through the day.
In my sleep, I come alive,
as the sun's warmth descends.
I am the waistrel, dancing in the road.

You are the moon, always observant.
Below me.
I dance in the rays of your light.
Below me
You are succinct,
you are perfect,
cold and everlasting.
Everlasting, in my light.
Your light; my movements in your light.
You are entwined in the rays of my light.

Do not count the stars,
like your broken orations.
They are my pearls suspended round my neck.
They will all burn out,
like the memory of your weakness
and the creature incomplete that you are.

If you'd versify, get with philosophy.
Let me think.
When I call for you, you leap.
Let me think.
You are frail,
you are vain,
at impasse, in a trance.
Everlasting, in your light.
My light; your movements in my light
I am entwined in the rays of your light.

Do not write my dreams,
I make no covenant to trickery,
I'll disentwine my heart from your dealings.
Waking, I am free,
with my songs in my pocket,
and all of these, scattered on the wind.
You are the moon, always observant.
Let me write.
These mists cannot veil my acquiescence.
Your song.

You are cruel,
you are robust,
and I the addict on the precipice of desire.
Everlasting, in my light.
Your light; my movements in your light.
You are entwined in the rays of my light.

Talamh

Talamh

Dàl is monadh Eabhraige,
tìr torrach Baile Chaorach a rinn àrach.
Blas mòine air a bhilean is na ghuth,
ged a bhruidhneadh e riut
nad chànan fhèin is na leis-san.

Clachan is lionn-tàtha, cathair-eaglais dèanta dheth,
is ged a chaidh a thogail grinn gu leòr,
leagadh tu rithist is a-rithist e, gus ath-thogail as ùr.

Gu dearbh, tha an talamh sin na bhroinn,
beinn-deighe, a ghluasad na bhualadh nam bròg.
Cha ghabh e bhleid no a bhreugadh.

Mar sin tha a shlighe ceumnach,
corra uair gun iùl.
Ged a chruinnicheadh tu nam measg,
is a dh'fheuchadh làmh fhàilteachail ri smèideadh,
dh'aidicheadh tu nach eil àite ceart dha.
Tha òran rongach mu leac an teine.

'S beag an t-iongnadh gu bheil crith-thalmhainn ann.
Thoir socag bheag dhà is fàsaidh freumhan uaithe,
is e naisgte dhan dealbh-tìre,
tha a làitheachd seo na co-rèiteachadh gun chrìch.

Earth

The moors of York and the Dales,
their gateway's fertile land that reared him.
Taste of peat on the lips, in the voice,
though he'd speak to you
in your tongue and his own.

Stones and cement, cathedral made flesh
and though, built handsomely enough,
again and again you'd fell it and rebuild it, anew.

Yes, such earth is within him,
a glacier, if you'd shift it, that's your challenge.
It won't be chipped away or cajoled.

Therefore, his path is progressive,
often without direction.
Though you'd gather in their company,
would wave a welcoming hand,
you must admit there's no real place for him.
His song, obnoxious, skeletal, at the fireside.

Little wonder there's an earthquake in him.
Give him a clod and he'll take root,
and thus bound within the landscape,
his presence here is an unending compromise.

Às an Uarach

Do Toria

Thàinig sinn às an uarach;
sìnte romhainn bha brat sneachda
snaidhte, an sin, mar dhealbh cian-thìreil.

Chunnaic mi fharsaingeachd
na laighe fodhainn, còmhnard 's rèidh,
a rèir na gèile a chreagan sèimhichte.

Thug ar falbhan sinn a-nuas, nar soitheach.

Ràinig sinn oir a' chladaich gheàrrte às,
mar ghrèim arain a
choimhead sinn troimhe gu fìorachd a' ghrunnda.

Thugadh mi tro chrìochan mì-thuigsinn.

Sin far an do dh'fhàs cruthan caola sìor-ghorma
's iad a rinn strì ris a' ghilead dhomhainn,
fìrinn dhìreach a dhiùltadh greannan fhuachd,

A dh'fheuch reòthadh mùchach talamh na cruinneachd.

From Above

For Toria

We came through from above;
laid out before us, a fir mantle
sculpted, there, into an alien landscape.

I surveyed its breadth
spreading beneath us, flat and uniform,
until the extremity of the gale and its crags refined.

Such hovering preceded our vessel's descent.

We reached the brink of its coast,
a bready chunk, bitten out;
now peering through to baseline reality.

I breached the border of misunderstanding

And there grew, thinly, forms evergreen,
struggling against the depth of whiteness,
truths erect against the ravenous cold,

Testing the mute frost of this convex terrain.

Òran a' Chlamhain-ghòbhlaich

Às dèidh Dhonnchaidh Bhàin Mhic an t-Saoir

Bu mhi cagair a chual' thu
an uspag na dàmhair
is mac-talla an coille
dhorch mo dhùthcha.

Bu mhi sgiath nach fhaicear
nach fhacas, fad nan linn;
fo sgàilean rubha mòrail
Àrd-nam-manach bhinn.

Bu mhi am priobadh fhèin;
ri fhaicinn air an fhaire,
bu mhi an sìon-seud;
a' falbh leis an aimsir.

Na breac-mhic is an sùilean
biorach air an lainnir.
foighidinn a' bhiorra-crùidein,
crom ris an abhainn.

An speireag-ghlas a' cuairteachadh
's a chochall liath-ghorm,
fo spiricean chloiche-gràin.
's mi an eachdraidh san ath-ghairm.

Nach mi an toradh fhèin;
abaidheachd an fhoghair.
'S mi gath òige san speur;
gach dath thar dreach na tìre.

Ach, rugadh mi son tilleadh,
air sgiathan sìoda ruaidh,
don tìr a rinn m' àrach;
eilean dubh mo ghràidh.

Bidh a ghleanntan nam amharc,
sìor-uaine is slìom,
's an talamh fhallain bhog
mu sgaoil mum choinneamh.

Amhrán an Chúir Rua
I ndiaidh Dhonnchaidh Bháin Mhic an tSaoir

Ba mise cogar a chuala tú
i bhfeothan Dheireadh Fómhair
is macalla i gcoill
dhorcha mo thíre.

Ba mise sciathán nach bhfheictear
riamh, lenár linn;
faoi scáileanna maorga
Àrd-nam-manach bhinn.

Ba mise mise féin an chaochaíl
le feiceáil ar an léaslíne
ba mise an cáithnín seoide
ag imeacht leis an aimsir.

Na snaga breaca is na súile
géara ar an loinnir.
Foighne an chruidín,
crom leis an abhainn.

An pocaire gaoithe ag rothlú
is a chochall liathghorm,
faoi spuaiceanna cloich-eibhir
is an scéal san athghairm mé.

Nach mé an toradh féin;
bisiúlacht an fhómhair.
Is ga óige sa spéir me;
gach dath thar dhreach na tíre.

Ach, rugadh mé d'fhonn fillidh,
ar sciathán síoda rua,
ar thír inar tógadh mé;
oileán dubh mo ghrá.

Bím ag amharc ar na gleannta
síorghlasa is sleamhna
is an talamh urrúnta bhog
amuigh faoi mo choinne.

Neòineanan

Cuiridh camhanach an là,
crith air na neòineanan
a dh'fhàsas an lios air
chùl an taighe.

Dùirn bheaga gheala,
dìon nan suain is
gramail fhathast, gun
leigeil an corragan.

Fad an là, cuiridh
cuid eòlas air sràidean
a' bhaile seo.

Gearraidh e slighe dhìreach,
a-steach is a-mach às
na clobhsan dorcha

Is fuasglaidh am baile fhèin,
mar ghucan nan dìtheanan sin,
blàthaichidh eòlas air mar
dhuilleagan, fàgte fad na sgrìob.

Ach chan fhaigh e suaimhneas
mo liosa ghlais seo.
Chan fhaic e glasadh
neòineanan mo mhaidne.

Daisies

First-light sends shivers
through the daisies
growing in the glade
behind my house.

Little fists, white and tight
in their slumbers,
still clenched and yet
to unfurl their fingers.

This day, some wayfarer
or other will encounter
these time-trodden streets.

He will cut a path,
straight, in and out of
the darkened closes.

And they city will itself
unbind like those buds,
experience in bloom,
petals, scattered on his way.

But he will never know the
repose of this little green space.
He will never see my
dawn-daisies breaking.

Portobello

Do Rona is Marit

Gathan-grèine tràth-nòin
a' taomadh tro uinneag Phortobello.

Tionndaidhidh mi gus d' fhaicinn,
mar chrùbaig; casan ann am basgaid.

Beanaidh do chorragan ri
inneal ùr gleansach.

Am meur-chlàr ga chur
an gleus an uaireadair.

Tionndaidhidh mi air ais
gus clàr glainne a sgrùdadh.

An-diugh, 's e nua-eachdraidh
a th' aige ri innse dhomh;

Fuaimnichidh na guthan
as aithne dhomh nam inntinn.

Pìos air falbh,
thig seirm gu bith an seòmar eile;

Seann-fhonn dèanta ùr an làimh òig.

Portobello

For Rona and Marit

Midday sunrays bail in,
through a Portobello window.

I turn to see you,
crab-like; your legs, a basket.

Your fingers touch
a fresh instrument's sheen.

The keyboard tuned
against the timepiece.

I turn back
to scrutinise a plane of glass.

Today, all it has to tell me
is the history of the present;

The voices a-flow with
those I know, in the mind.

Not far off,
melody manifests in another room;

An old tune played anew in a young hand.

Seòmar-dannsaidh

San àite seo,
tha peantair air tàladh
tuaran an t-saoghail a-muigh a-steach,
gus dealbh-tìre ar dùthcha
a sgaoileadh thar nam ballachan,

Mise nam sheasamh stòlda
mar a' charragh-chuimhn'
ga fhaicinn tron uinneig,
thu fhèin inghearach,
am falach cuilbh,

Mar a thàinig an soillse is a sgàil
còmhla, gus do ghnùis a fhreamadh eadarra
is siomal àrd an t-seòmair-dhannsaidh seo.

'S e sin tha a' toirt orm mo roghainn,
mo dhealas a chur romhad
is mi dìreach, cuideachd,
le làmh ri sìneadh,
do làmh a ghabhail nam bhois.

Seach do shlighe a stiùireadh,
mo shlighe-sa a rèir d' àill,
a' lùbadh thar an làir parquet,
mar a' chùirtear liath-uaine,
ga bhuaireadh le osag an fheasgair.

Ballroom

In this place,
a painter has enticed
all the shades of the world outside within,
to unfurl our country's landscape
across these walls,

I stand, steady
as the monument
I glimpse through the window,
yourself, perpendicular,
in a column's concealment,

As if light and its shade came
together, to frame your face between them
and the high ceilings of this ballroom.

It is this that compels my choice,
to place my commitment before you,
and I, likewise, direct,
with a hand to extend,
to take your own into my palm.

I do not guide your path,
but bend my own to your desire,
as we meander across the parquet floor,
like the silver-green curtain,
tempted by the evening's breeze.

Tagradh Nua-dhraoidh

Dàn air a lorg

Tha mi ag iarraidh gun cuir cuid
mi ann an cearcall clach-ghorm
Phreseli gus mo bhodhaig èatarach
a shiabadh glan le itean clamhan-
ghòbhlaich. Tha mi ag iarraidh gun
cuir cuid glagan beaga ri seirm gus
mo shinnsrean a ghairm tro sgàil
smùid trom-bhoid is cuiseige-lèithe,
gus iarraidh orra mo chur air ais na
chèile. Tha mi ag iarraidh gun toir
cuid an saighead sonn bhuam gus
a thilgeil ann an tùrlach uaine
Bhealltainne, dèante le sailthean
craoibhe-caorainn is salann-tàthaidh.

Neo-druid's Petition
A found poem

My desire if for some soul to place
me in a ring of Preseli Bluestone to
cleanse my etheric body with red kite
feathers. I want some soul to ring
crotal bells to call my ancestors in
through a vervain veil and mugwort
smoke so I can ask them to reassemble
me. I want some soul to pull the elf-
shot from me and throw it into a green
Bel fire of rowan logs and borax.

Uisge

Uisge

Abhainn a dhealaich an Dubh-linne.
Chuir e eadar dà bharail thu,
measg dà shluagh, sgapte air dà thràigh,
ged a dh'iarradh e oirbh
drochaid a dhèanamh dur gàirdeannan.

Muir na sruth an aghaidh Coillte is Cinn t-Sàile,
tonnan a' bàrcadh air ballachan Dhùn Chathail,
a mhùchadh èigheachd nan rèisimeidean.

Gu dearbh, tha an t-uisge sin na bhroinn,
làn-mara a thug fhilidh-mhuinntir air falbh
gus calaidhean gallta a ruighinn.

Mar sin tha an slìghe dìreach,
nach ceadaicheadh tilleadh.
Ged a chruinnicheadh tu nam measg,
chan fhaicear làmh fhàilteach smèideach,
ach bacadh ann an sìneadh nam bas.
Chan fhaigh an duine sin dhachaigh.

'S beag an t-iongnadh gun èiricheadh tonn ann,
spult an talamh ùr ann is chan fhaighear ach clàbar,
ro shleamhain son tèarmann a thogail ann.
Cha sheachnar nach measgaichear talamh is uisge.
Mu dheireadh cha bhi ann ach sgùd is grùid.

Water

A river that divided Dublin.
He has placed you under great consternation,
at once, between two tribes, divided on the riverbanks,
though he'd ask a bridge of you
built of your own arms.

Sea a-flow against Quilty and Kinsale,
waves clap the ramparts of Charles Fort
and would quell the yells of regiments.

Yes, such waters are within him,
ocean's tide that swept his minstrel-kin away
to breach alien harbours.

Therefore, the route is linear,
will not brook return.
Though you'd gather in their company,
the welcome wave of hand goes unseen,
only rejection in the palm extended.
That is a man that can never go home.

Little wonder the waves would rise within him,
sprinkle in fresh soil and you'll get is filth,
too slippery to establish sanctuary.
You can't deny that earth and water will not mix.
In the end, all that ensues is silt and puddles.

Suire
Do Kerry

Ruithidh i thar
farsaingeachd na tràghad;
a' ghainmheach gheal
ga buaireadh,
le bualadh bois is
buinn a casan.

Shèidear a gruag,
le sìon-steud an t-soirbheis;
ciar-dhonn bhon fhreumh is
òr-bhuidhe gu barr na stireige.

Caithte air crannchur
buan druim nan sùgh,
tumaidh i fodha;
tha i air falbh leis an t-sruth.

Tonn-luasgach;
cha diùlt i gairm
an ath-thillidh is
nochdaidh i,
ga spùtadh le
spàirn na suaile.

Tillidh i air barr a' chobhair,
le ciad bhoinne an lìonaidh.

Brisidh braoisg air a h-aodann;
ged is i creutair beag,
tha cridhe slàn aice,
a' bualadh le
tunnachadh nan tonn.

Mu choinneamh Chlachan nam
Fomhorach,
chan i ach ròd
air dèirc an t-siùil-mara.

Murúch

Do Kerry

Ritheann sí
thar fhairsinge na trá;
an gaineamh geal
á bhuaireadh,
le bualadh bhois
is méara a cosa.

Seidtear a gruaig
le tulca an tsoirbhis;
ciardhonn ón fhréamh is
órbhuí go barr na ndlaoithe.

Caite ar shíorcrannchur
dhroim na dtonnta,
tumann sí faoi;
tá sí ar shiúl leis an tsruth.

Tonnluasctha;
cha ndiúltaíonn sí do ghlao
an phillte is
nochtann sí,
á scairdeadh le
spairn na suaille.

Pilleann sí ar bharr an chúir,
le céad bhraon na tuile.

Briseann meangadh ar a haghaidh,
Gé gur créatúr beag í,
tá a croí slán,
ag bualadh le
toirm na dtonnta.

Os comhair Chlochan an Aifir,
ní hí ach turscar
ar dhéirc na taoide.

Nereid

For Kerry

She runs
the expanse of shoreline
and the white sand,
disturbed,
with the beat of her toes,
the soles of her feet.

Her hair blows,
with the fair wind gust.
Chestnut at the root,
and golden at the wisp.

Cast on an endless gamble,
on the backs of the waves,
she dives;
she is carried by the current.

Tossed;
she cannot resist
the urge to return
and she emerges;
spat out
by the force of that swell.

Surfacing on the foam,
she is the return of flow-tide.

A smile breaks on her face.
She is a small thing,
with a steady heart;
beating with the crash
of the whitecaps.

Before the Giants' Causeway
she is mere seaweed;
dependent on the charity of the tide.

Maighdean-mhara

Na seasamh air clach,
sheall i thairis an locha,
le a dà chois chrùbte foidhpe
is a falt bàn,
spangach san t-solas liath,
a' caoineadh call a truaghain.

Nam shuidhe air a cùlaibh
le botal uisge-beatha nam ghrèim,
cha robh ach miann
gum faighinn na faclan
ceart aig a' bhonn.

Gun a' ghrian ri faicinn ann,
ach glòmainn robach,
bha sin pianail do chùl a sùla.

'S ann mar sin a b' fheàrr leatha,
oir sna làithean sin, bha
gach madainn na dùbhlan
no deuchainn ri chosnadh.

Le gach slug mo dhighe,
thuit mo chiall dhìom is
leig mi dubhachas tungaidh m' anama
thairis air mo theanga
gus sileadh tro chlitheagan m' fhiaclan.

Rinn gach uirigeadh an oidhche na bu thruime.

Ach gu h-obann,
dh'èirich cruth glas gleansach
tro uachdar an uisge
agus, leis an dà shùil dhubh,
dh'aithnich sinn ceann ròin;
aonarach ann am farsaingeachd an locha.

Thionndaidh i, ag aithris
gun do chuir e cèilidh oirre,
ach cha b' e na rinn e
a chèilidh a dh'iarradh i.
Cha b' urrainn dha sin, a-riamh.

Agus ged a dh'fheuchainn,
cha b' urrainn dhomh
am beàrn farsaing na cridhe
a lìonadh.

Mermaid

Seated on a boulder,
she surveyed the loch,
with her two legs folded under
and her blond hair sparkling,
pale, in the light,
lamenting a lost soul.

Seated, there, behind her,
with whisky in my grip,
it was my wish,
the find the words,
at the bottom of the bottle.

We could not see the sun,
but for a grubby gloaming,
painful to the back of her eyes.

That's how she preferred it,
for those days,
each morning was a test
or a challenge to surmount.

And with each slug of liquor,
My sense could only fall from me,
as I let my dank and darkness
across my tongue,
to dribble through the gaps between my teeth.

With each utterance the night fell, heftier.

Except, suddenly,
a grey shape, gleaming,
rioted the surface of the water
and by its two black eyes,
we knew a the head of a seal,
solitary in the loch's enormity.

She turned, to tell me
that he was her visitor,
but not the one
that she wanted.
That, he never could be.

And though I tried;
Neither could I ever
fill the void
inside her.

Maighdean-mhara II

Trì làithean às dèidh sin
sheòl sinn còmhla
bho Steòrnabhagh gu Ulapul.

An àite cruth ceann ròin,
bha a' ghrian buan mar
leth-chearcall a' dol fon chuan.

Thuig mi an uairsin
gum biodh ath-chèilidh a rùin
anns na bh' aig gach creutair no nì
a chìtheadh i.

Far an robh deò bheatha dha-rìribh.
Gum biodh an còmhstri, aon là, seachad.

Ach dhòmhsa, bha e caillte; cothrom
faclan suaimhneis a ràitinn
agus i fhèin na cadal ri mo thaobh.

Mermaid II

Three days thereafter,
we sailed together
from Stornoway to Ullapool.

And in the place of the seal head,
lay the continuity of the sun,
like a semi-circle, sea-submerged.

Then, I fathomed,
that the re-visit of her loved one,
would be in every living thing,
she might see.

Wherever the spark of life was real.
Whenever the struggle subsided.

But for me, the chance was lost;
consolatory words unpronounced,
she lay sleeping beside me.

Maighdean-ròin

'S corra uair a sgrùdadh i e,
crochte anns a' phreas,
's ged nach b' e a choltas bha
cho tarraingeach,
b' e an rud a bha e a' riochdachadh.

Chuireadh i làmh air,
gus a chruth 's inneach a chniadachadh.

Sìor-sleamhainn, fìor-shìodach,
air làmh a rinn garbhachadh na h-ùine.

'S corra uair a dhùineadh i an
doras air a mheomhair,
's ged nach b' e iarrtas dha
riamh a sheachnadh
's e sin dhi bhiodh e a' sùileachadh.

Chuireadh e a làmh oirre,
gus a dòchas 's a miann a mhùchadh.

Sìor-phianail, fìor-ruiteach,
's a làmh rinn cheilteachadh a guailne.

'S corra uair a bhruadair i an
teicheadh i bho a cheistean,
's ged nach b' e cothrom ceart
a thairg an t-seachdain,
's e a thairgeadh an là oirr' a' teannachadh.

Chuireadh i am bian oirre,
gus a brìgh 's a h-iùl a neartachadh.

Sìor-aigneach, fìor-shireach,
's a gnìomh dhi dhèanadh ath-nuadhachadh.

Rónmhaighdean

Corruair scrúdaíodh sí é,
crochta sa phrios,
's chan í an chuma a bhí air
a bhí chomh tarraingteach
ach a léirigh sé di.

Cuireadh sí a lámh air,
chun a chruth is ábhar a mhuirniú.

Síor-shlíomach, fíor-shíodúil,
ar lámh déanta garbh ag an am.

Corruair dhruideadh sí
an doras ar a chuimhne,
's gé nár iarr sé uirthi
riamh é a sheachaint
sin lena raibh sé ag súil.

Cuireadh sé a lámh uirthi,
chun a dóchas 's a mian a mhúchadh.

Síor-phianmhar, fíor-luisniúil,
's lorg a láimhe ar a gualainn.

Corruair shamhlaíodh sí
go n-éalódh sí óna cheisteanna,
agus fiú munar thairg
an tseachtain seo seans di,
bhí an lá ag druidim léi a thairgfeadh.

Chuirfeadh sí an bian uirthi,
lena brí 's a troir a neartú.

Síor-dhíocasach, fíor-fhiosrach,
sin gníomh di a dhéanfadh athnuachan.

Selkie

Occasionally she'd examine it,
hanging in the wardrobe,
wasn't attracted by its aesthetic,
but it was what it represented.

It was then that she would touch it,
carress its form and its texture

Ever-smooth, truly-silken,
on the hand that time had callused.

Occasionally she'd close the door
upon its memory.
He'd never deigned to ask her to forsake,
but he foresaw that, nonetheless.

He would put his hand on her,
keep her confidence under cosh.

Ever-painful, truly-florid,
his handprint on her shoulder.

Occasionally she'd wonder if
she'd escape his ever-questions
and if this week hadn't offered up the chance,
the day that would might fast approach.

She would put the pelt on,
her inner compass to re-align.

Ever-acute, truly-pursuant,
its execution would be her renewal.

Maighdean-ròin II
Do Karen

Cha b' e ach am brìosan air a craiceann;
lomnochd a crutha ghil air a' chladach.
mar aon le crom iomlan nam molagan,
cas-rùisgt' air tràigh moil, 's i clisgeach, ceumnach
dh'ionnsaigh siaban-mhara; gealladh sionn
tilgte bho ghlas a' chuain dhomhain.
Brosnaicht' a binn le gàir nan tonn,
sgiobag uisge 's a bhodhaig air bhioran.
Leis a' bhian na làimh, sheas i na bhroinn,
tharraing i uimp' e is ghèill i ga sgoinn.

Rónmhaighdean II
Do Karen

Cha raibh ann ach an leoithne ar a craiceann;
a chruth gheal lomnocht ar an chladach.
In éineacht leis na púróga, cruinn gan locht,
cosnochta ar dhuirling, 's í cliseach, pramsach
roimh ionsaí an tsíobáin mhara; gealladh dúrúin
caite ó ghlas na farraige doimhne.
a cinneadh spreagtha ag gáir na dtonn,
cigilt uisce is bhí a mian dúisithe.
Shiúl sí isteach ann, greim dhocht ar an bhian
gur tharraing sí uirthi é, ag géilleadh dá mian.

Selkie II

For Karen

The breeze on her skin was all she observed,
her nude form shone out, white, from the shore.
At one with the pebbles, faultless and curved,
barefoot on the shingle, she stepped before
the foaming ocean's lustrous guarantee,
cast out of the burgeoning, verdent deep.
Encouraged by the ever roaring sea,
briny tickle on toe, dying to leap.
With the pelt in her hand, she stepped within,
pulled it on, felt its vigour and her vim.

Òran na h-Aibhne
Às dèidh nan Òran Luaidh
A' comharrachadh banais Cheitidh is Iain

'S e bhith sruthadh leis an abhainn
miann muladach m' anam'.
'S e bhith ruigsinn do chladach
miann duilichinn mo chridh'.
'S e bhith tilleadh leis an abhainn,
air fhleod air a tràghadh
gam thoirt dhachaigh dod chaidreamh,
gam bhlàthachadh le do ghràdh.

'S e bhith togte, mar dhrochaid,
mar chrathadh nan làmh.
'S e bhith ceangal nam bruach,
thar eala air shnàmh.
'S e bhith buan, mar dhrochaid,
cho calma ri clachan,
gam dhèanamh cho làidir
gam neartachadh led ghràdh.

'S e bhith faicinn na mara,
bho inbhir ar n-àigh.
'S e bhith saor mar am bradan,
aig ceann-ùidhe a rùin.
'S e bhith feuchainn na mara,
cur a' bhàta mu sgaoil.
'S e bhith seòladh le chèile
is a' gèilleadh do ghaol.

50

Amhrán na hAbhann

I ndiaidh na nAmhráin Ladhaidh
Ag ceiliúradh bhainis Cheitidh is Iain

Is a bheith i mo shruth leis an abhainn
mian brónach m'anama.
Is a bheith ag sroicheadh an chladaigh
mian buartha mo chroí.
Is a bheith ag filleadh leis an abhainn,
ar snámh ar an trá
beirthe abhaile ag do chaidreamh,
téite ag do ghrá.

Is a bheith tógtha, 'nós droichid,
'nós chroitheadh na lámh.
Is a bheith ag ceangal na mbruacha,
thar eala ar snámh.
Is a bheith buan, 'nós droichid,
chomh calm le clochan,
do mo dhéanamh chomh láidir
do mo neartú, do ghrá.

Is a bheith ag féachaint na mara,
ó inbhear ár sonais.
A bheith chomh saor leis an mbradán,
ag deireadh a aistir.
Is a bheith ag féachaint na mara,
ag cur báid amach.
Is bheith seólta le chéile
is ag géilleadh do ghrá.

Teine

Teine

Luisne shìor-luaisgeach aig coinneal fhìor-ghlan.
Tùis ceòthaidh tachasach nad chuinnean,
taisbeanach san uinneig is sìor-thàlach,
ged a dhèanadh tu eisimpleir dheth,
a shoirbheachas ga chur às do leth.

Teine-ealain ann an iarmailt Dhùn Èideann,
samhla ùr-linn thuarach is crìonadh na seachad,
Boillsg is drithleann gad dhalladh.

Gu dearbh tha an teine sin na bhroinn,
spreadan na fhaclan is cleasan-teine na aicillean;
brèagha, ged as rudeigin cian a th' annta.
Spreagadh e do chuid bhàrdachd annad.

Mar sin tha do shlighe thuige lùbach,
gus aghaidh do bhuinn a chur air a' bhathais.
Ged a chruinnicheadh tu nam measg,
's diùid ort làmh fàilte smèideadh,
co-ghàirdeachas falamh seach bualadh nam bas.
Tha an lasair beitir ach maistreach.

'S beag an t-iongnadh gun cumadh e làmhan mun iadh
is èirigh thòcaidh a dh'ionnsaigh an rodha;
tha uisge-beatha crosta 's na bhoisteadh dha.
Chan fhiach a shèideadh ach frìth don thost.
'S connadh dha, gach nì talmhaidh.

Fire

A flare, ever-turbulent, on an immaculate candle.
Smoke and incense clawing at your nostrils,
manifest in the window, its incessant allure,
though you'd make an example of him,
to serve your own.

Illuminations in the Edinburgh firmament,
symbol of a new era dawning, the past receding,
all flash and glimmer, blinding.

Yes, that fire is within him,
sparks in his words and fireworks in his rhymes;
pretty enough, but something distant in them.
He arouses your own poetry in you.

Therefore, your route to him meanders,
if you are to face him.
Though you'd gather amongst them,
you're shy to wave a hand of welcome,
prefer empty congratulation to applause.
The flame is neat but perturbing.

Little wonder he'd cup his hands around it,
emotion swelling, encroaching on the watermark;
add whisky for a capricious tincture,
no point huffing and puffing,
Anything terrestrial will fuel it.

Eabhraig

Brag dealanaich brùideil' na cros-lanna deisneil;
gach cinnte na bràigheadh na glainne 's na cloiche.
buail-bròga do dhòchas le spreadhadh na smùide,
thug car do mo bhodhaig am broinn mo mhàthar.

Rugadh mi deiseil an comhair mo choise,
gam ghuradh am bogsa gun duine mo shuidhe.
Cèasar ga ghearradh an-abaich le aighear,
cluinn sgread bhon a' phàiste le sgamhain droch-chunnta.

Aire is faiceall do ainm mo bhaile;
's mi freiceadan-fàire, o bhàbhan a bhalla.
Brisidh mi d' uabhar mar ròs geal na glainne.

Duilich g' eil na dàin ri innse na fìrinn,
cuirte an cèill gun thionndaidh air facal.
Do chorragan fallasach, air duilleag an fhaclair.

Clachan gan caitheamh thar crìochan a' chànain,
dh'aindeoin dùirn a tha lag, bois lathte gu bàs,
nì bàrdachd spealadh do fhradharc fo phuicean.

Biodh tost air do rosg is leathrannan bheanntan,
's mo sheanairean sèimh fo bhràighean m' altraim,
an dùil ri m' èirigh le dòchas an grèine,
air dheireadh ur bacaidh is claonadh nur beuma.

Dè thèid a sgrìobhadh nuair a sgrìobhar m' amhrath,
an duine nach leanadh riaghailt faite-ghaire?
Dè thèid a sgrìobhadh is eachdraidh aig astar,
eadar ùr-sgeul 's 'n fhìrinn is ar làithean-sa còmhla.

Eabhrac

Blosc tintrí fiochmhaire sa chroslann deisceartach
Gach cinnteacht á pléascadh le gloine is cloch
Buille mharfach don dóchas é brúchtach na toite
a thug casadh do mo cholainn i mbroinn mo mháthar

Rugadh mé réidh, mo chosa chun tosaigh
Do mo ghoradh i mbosca gan duine le suí.
Cèasar á ghearradh anabaí le háthas:
cluin scread ón pháiste le scamhóga anchumtha.

Aire is faichill do ainm mo bhaile;
is fear faire mé, ó fhálbhach a bhalla.
Brisfidh mé d'uabhar 'nós rós geal na gloine.

Buartha go bhfuil na dánta le hinsint na fírinne,
curtha in iúl gan focal a thiontú.
Do mhéara allasúla, ar leathanach an fhoclóra.

Clocha á gcaitheamh thar theorainneacha na teanga,
in ainneoin doirn atá lag, bois préachta go bás,
Spealfaidh filíocht do radharc faoi phúicín.

Bíodh tost ar do phrós is rannta faoi shléibhte,
is mo shinsir shéimhe faoi chliatháin mo mhacántachta,
ag súil le m'éirí le dóchas na gréine
Tar éis bhur gcuid bactha, ba lúbadh bhur masla.

Cad é a scríobhfar nuair a scríobhfar mo mharbhna,
an duine nach leanfadh riail an mhiongháire?
Cad é a bheas scríofa i ndiaidh achair na staire
idir síscéal is fírinne is ár laethanta seo le chéile.

Apardjón
Do Chiorstaidh

Saoileam, am meòmhraich thu orm,
uaireannan,
fada aig iar-thuath,
's do ghnùis air fuachd na cluasaige.

Sgaoilidh d' fhalt ruadh
air a' chur is a' chathadh;
teine nach leagh an deigh.

Saoileam an laigh thu cruaidh oirre,
leacan cloiche-gràin;
priob abhraid air criomag airgid.

Apardjón.[1]

Diuchdaidh rionnag na cuimhne.
Reul-iùil,
Cathair,
Crann-arain.

Saoileam am faic thu mi, nad aisling;
mo làmh ga sìneadh thugad,
's tu dannsadh air na leacan leam,
a-rithist.

---

1 Obar Dheathain.

Apardion
For Kirsty

I wonder if you think of me,
at times,
in the far north-west,
with your cheek, cold on the pillow.

Your red hair spreads
across the drift;
ice unthawed by the flame.

I wonder if it lies hard,
as on a granite sheet;
eyelash flicker on silver fleck.

Apardion.[2]

Starlight in the mind.
Polaris,
Cassiopeia,
The Plough.

I wonder if you see me, in your dreams,
my hand outstretched towards you,
called to dance the flagstones,
again.

2 Aberdeen.

Lainnir

Chuir thu fhèin nam chuimhn' a-nochd,
òran a dhèanamh dhut,
's tu a' seasamh mu mo choinneamh
ann am maisealachd do fhrog'.

B' ann mar a thug an damhan-allaidh dhut
a shìoda a chur ort,
gus am biodh a shnàithlean grinne gleansach umad,
is d' òran taomadh bhuat.

A-nochd mhothaich mi an luach bhith
leam fhìn is ag èisteachd
do dh'òrain bhuineas do linntean cian
is an teachdaireachd ath-chluinntinn a-rithist
agus air saoghal an là an-diugh,
far nach cuirear creideas ach am faoineas 's frachail,
an-diugh cuiridh mi earbsa an lainnir.

Chuir mi fhìn mo làmh nam phòc'
's mi coiseachd an t-sligh',
le truimead stuamachd an t-saoghail,
ga chrochadh thar mo chinn.

B' ann mar a chuir thu fhèin am botal beag
nam phòc' a dh'aona-ghnothaich,
gus am faighinn e, aig a' cheart àm
gus fuasgladh a thoirt air mo shlighe.

A-nochd mhothaich mi luach
gnìomhan coibhneis shìmplidh,
de bhith beò anns a' mhòmaid fhèin,
is an teachdaireachd ath-chuir mu sgaoil
agus air saoghal an là an-diugh,
far nach cuirear creideas ach am faoineas 's frachail,
an-diugh cuiridh mi earbsa an lainnir.

Chuir mi mo làmh na mo phòca is
thill e thugam làn lainnir,
thug an lainnir sin gàire air mo ghnùis.
Bheir mi an gàire sin fad na slighe,
ga sgaoileadh romham fad an là,
's mi an dòchas fhaicinn ann an sùilean an t-saoghail.

A-nochd mhothaich mi an luach bhith
leam fhìn is ag èisteachd
do dh'òrain bhuineas do linntean cian
is an teachdaireachd ath-chluinntinn a-rithist
agus air saoghal an là an-diugh,
far nach cuirear creideas ach am faoineas 's frachail,
an-diugh, cuiridh mi earbsa an lainnir.

A-nochd mhothaich mi luach
gnìomhan coibhneis shìmplidh
a bhith beò anns a' mhòmaid fhèin,
is an teachdaireachd ath-chuir mu sgaoil
agus air saoghal an là an-diugh,
far nach cuirear creideas ach am faoineas 's frachail,
an-diugh cuiridh mi earbsa an lainnir.

Loinnir

Chuir tú é i m'intinn anocht
amhrán a dhéanamh duit
is tú ag seasamh os mo chomhair,
i ngalántacht do ghúna.

Bhí sé mar a bheadh síoda an damháin alla
tugtha duit lena caitheamh ort.
go raibh a shnáitheanna grinne ag dealramh tharat,
is d'amhrán ag taomadh uait.

Anocht mhothaigh mé an luach in bheith
liom féin is ag éisteacht
d'amhrán baineann do linnte cumha
is an teachtaireact a chloisteáil arís
agus ar na saolta seo
óir nach gcuirtear creidmheas ach in amaidí is cipleáil,
inniu, cuirfidh mé muinín i loinnir.

Chuir mé féin mo lámh i mo phóca
is mé ag siúl an bhealaigh,
le troime stuamacht an tsaoil,
ar crochadh thar mo cheann.

Shílfeá gur fhág tú féin an buidéal beag
i mo phóca d'aon ghnó,
go bhfhaighinn é, san am ceart,
chun mo bhealach a fhuascailt.

Anocht mhothaigh mé luach
na ngníomhartha carthanacha simplí,
maireachtáil sa mhóimint féin
is an teachtaireacht a chur amach arís
agus ar na saolta seo,
óir nach gcuirtear creidmheas ach in amadaí is cipleáil,
inniu, cuirfidh mé muinín i loinnir.

Chuir mé mo lámh i mo phóca is
d'fhill sé chugam lán de loinnir,
chuir an loinnir sin gáire ar mo ghnúis.
Bheir mé an gáire sin ar an bhealach,
á scaoileadh romham tríd an lá,
is ag siúl liom, á fheiceáil i súile an tsaoil.

Anocht mhothaigh mé an luach in bheith
liom féin is ag éisteacht
d' amhrán baineann do linnte cumha
is an teachtaireacht a chloisteáil arís
agus ar na saolta seo
óir nach gcuirtear creidmheas ach in amaidí is cipleáil,
inniu, cuirfidh mé muinín i loinnir.

Anocht mhothaigh mé luach
na ngníomhartha carthanacha simplí,
maireachtáil sa mhóimint féin
is an teachtaireacht a chur amach arís
agus ar na saolta seo,
óir nach gcuirtear creidmheas ach in amadaí is cipleáil,
inniu, cuirfidh mé muinín i loinnir.

Bean-shìdhe

Gruag chasta is giotàr na h-uchd,
    's i gabhail òran Dylan
        le guth sèimh aotram.

        Tro a craiceann criostalach,
      chithear an fhuil
   a' siubhal tro a cuislean,
le gach buille-cridhe

    Ob-obagail,
        mar sgiathan an dealan-dè.

        Gal is caoineadh,
            Gun bhith eagalach,
      no buaireach,
    ach annasach;

Ro-shealladh aoig àlainn.

Banshee

Ringlets and guitar on her lap,
        Dylan-song in her mouth
                beside that soft, light voice.

                Through her crystalline skin,
            you could see the blood;
        pulsing through her veins,
with every heartbeat.

        Flickering,
                like the butterfly's wing.

                Wail-and-weeping,
                        neither timorous
                nor turbulent
            but unsettling;

Premonition of a beautiful death.

Balt na Fàire
Às dèidh Ortha nan Gàidheal
Dhaibhsan a dhèanadh mo mhùchadh

'S iomadh là a chaidh mo bhàthadh
ann an iùnnrais mo chràidh,
agus b' orm dhòirt an stoirm
's faclan tàirneanaich.

'S tu a ghoid duircean m' eòlais,
's iad bha blasta na do bheul,
Ciamar a chagnas tu le cogais iad?

Thoir mo bhrìgh às do bheul,
thoir m' ainm far do theanga,
oir thig caochladh air an aimsir,
aon là, mar bhalt na fàire.

'S iomadh duine fhuair buannachd
fo luaineas do shìd',
ach, fòghnaidh na dh'fhòghnas
dh'fhaclan dealanaich.

'S tu a dh'fhionnaraich mo thothlaing,
tharraing sgàil thar mo shaoghail,
Ciamar a sheasas tu do chogais ris?

Thoir mo bhrìgh às do bheul,
thoir m' ainm far do theanga,
oir thig caochladh air an aimsir,
aon là, mar bhalt na fàire.

Gum bualadh beithir 's plathadh
uisge ciùineas do lochain;
losgadh anns an iarmailt,
a bheir soillse do bhradan.

'S tu, dubhachas mo dhuibhre,
chuir thu fuachd na mo shaoghal
's mi ann an dìle nan seachd sian.

Thoir mo bhrìgh às do bheul,
thoir m' ainm far do theanga.
Thig caochladh air an aimsir,
aon là, mar bhalt na fàire.

Ach 's mi a chì mo ghrian,
's tillidh dòchas do mo shaoghal.
gèillidh mi mo dhoilgheas don a' ghaoith.

Saighneán san Iarthar
I ndiaidh Ortha na nGael
Dóibhsean a dhéanfadh mo mhúchadh

Is iomaí lá ba bháite mé
in anfa do chrá,
Ó, an masla a thug tú orm
is focail toirní.

Is tú a ghoid dearcáin m'eolais,
is iad bhí blasta i do bhéal.
Conas an itheann tú le coinsias iad?

Tabhair mo bhrí as do bhéal,
bain m'ainm de do theanga,
óir tiocfaidh athrú ar d'aimsir,
lá amháin, 'nós saighneáin san Iarthar.

Is iomaí duine fuair buntáiste
faoi iomlaoid do shíne
ach, is leor is ní beag
d'fhocail thintreacha.

Is tú a d'fhuaraigh mo theaspach,
a tharraing scáil thar mo shaol.
Conas a sheasann tú do choinsias leis?

Tabhair mo bhrí as do bhéal,
bain m'ainm de do theanga,
óir tiocfaidh athrú ar d'aimsir,
lá amháin, 'nós saighneáin san Iarthar.

Go mbuaile farcha is splanc
uisce ciúin do locháin;
loscadh as an bhfhirmimint
a shoilseoidh ar do bhradáin.

Is tú dubhachas mo dhuibhe,
chuir tú fuacht ar mo shaol
is i ndíle na seacht ndúil mé.

Tabhair mo bhrí as do bhéal,
bain m'ainm de do theanga,
óir tiocfaidh athrú ar d'aimsir,
lá amháin, 'nós saighneáin san Iarthar.

Ach is mé a fheicfidh an ghrian
is fillfidh dóchas ar mo shaol.
Ligfidh mé mo bhuairt leis an ghaoth.

Liath-sholas

Às dèidh Inyal

'S sibh rinn sgleò de na
rionnagan romham a-nochd,
agus mi gam chrochadh ann am
pronnag phlanaidean a' co-bhualadh:
cabhsair boillsg ann an earball-rèile, a thug
mise, dìon, gu tìr, air saoghal-aisling is balgach
na neòil-cheiridh de lainnir a' teannachadh umam,
thog mi mo làmhan 's iad ri dannsadh an liath-sholais.

Lilac-light
After Inyal

It was you, tonight, who
blurred the stars, before me,
and I, suspended in the fall-out
of the planets colliding: a causeway
in a comet's wake, it beamed me, clean,
upon utopia and cirrus sparkling all around
me, I raised my hands, dancing in that lilac-light.

Àile

Àile

Rèidhlean speura, fànas nèimhe is beinne,
oiteag Eabhraige dh'àraich sìolmhorachd,
gèile Ghàidhealach nan seachd sian,
tha e a' coiseachd, gu plocanta, sa ghaoith.

Fàire cho farsaing a gheibheadh air Gàidhealtachd,
fuar is ùrar gus nan neuron a dhùsgadh;
geur, uaireannan, rag is do-atharrachadh.

Gu dearbh, chuir thu an àile sin na bhroinn,
fànas follaiseach, neoinitheachd a lìonas beàrn;
's buaireanta e is nach leigear a làimhseachadh.
Tha thu air a teumadh leis.

Mar sin, tha a shlighe toinnte,
gun bhanastair a threòraicheadh tro na h-àird.
Ged a chruinnicheadh e riut, nur measg,
dhiùltadh sibh làmh fàilte smèideadh,
air eagal àile d' eòlais a spreadhadh a rong;
cha ghabhar doineann nan aois amaladh.

'S beag an t-iongnadh gu bheil falmhachd na bhroinn;
tha e air a shaoghal a chur caoin air ascaoin.
Gach rud a dh'innis, gach rud a dh'èist;
na bhloigh, tha e foirfe, tha e lideach, ged cho fileant'.

Air

Expanse of sky, a void of heaven and mountain,
warm York breeze that raised him fertile,
Gaelic gale and all that's elemental,
he is walking, full-faced, against the squall.

A horizon, extensive as any found in the Highlands,
fresh and cold to arouse the neurons;
caustic, at times, inflexible and unchanging.

Yes, you have placed that air within him,
The vacuum is obvious, the intangible fills the fissure;
he's provocative, so you won't let him handle it.
You have beguiled him with it.

Therefore, his route is complicated,
without a banister to guide him to the heights.
Though he'd gather with you, amongst you,
your hand is shy to wave a welcome,
concerned such airy knowledge may blow up his glow;
acceptance might impede the hurricane of the ages.

Little wonder at the emptiness within him;
he has turned his world in on himself.
Every word spoken, every word he has heard;
fragmented, he is flawless, he stammers, but is fluent.

Tromsøya
Do Marie

Meòraichidh mi ort,
uaireannanan,
fada gu tuath,
ri taobh uisge dorcha Tromsøya.

Gun ach deò fionnar farsaing na gealaich,
mar chabhsair, thairis na fairge.

Agus air fàire;
binnean neònach;
triantan na ghilead.

Ishavskatedralen.[3]

Muinidh e ris na rionnagan.
An Sealgair Mòr,
Gadhar Osgair,
Aibhseag.

Chì mi thu san t-sneachda,
a' coimhead ris na speuran,
an dùil ris na Fir Chlis
a thighinn.

---

3 Cathair-eaglais na h-Arctaige.

Tromsøya
For Marie

I think of you,
at times,
in the far north,
beside the dark waters of Tromsøya.

With one wide ray of cool moonshine,
like a causeway, across the ocean.

And in the distance,
a strange apex;
trianglular whiteness.

Ishavskatedrale.[4]

It points to the stars.
Orion,
Ursa Major,
Aldebaran.

I see you in the snow,
looking to the sky,
expecting the advent of
the Northern Lights.

---

4 The Arctic Cathedral

Grioglachan
Mar chuimhneachan air Magaidh Hearach

Tha cuimhne leam aon uair
is sinn nar seasamh ràgh air ràgh,
mus deach làmhan a thogail, gus ar
tàladh càch a chèile.

Bu tu a thionndadh comharra
gu duanag sa bhad is a
thogadh lìonra eadarainn
le fàsgadh clis do làimhe.

Bu tu, le priob do shùla,
bha ri balbhanachd do shocair
is bhoillsg an gàire ort
mar loinne slige-neamhnaid.

Lean sinn do shoillse, mar bu
tu an crann is an ceòl na
ghaoth fo sheòl geal balgach,
do na ghèilleadh sinn le chèile.

Nis 's sinn a sheòlas tusa null,
mar shoitheach air an abhainn,
is an naidheachd na sradag
do lòchrain an cois dà bhruaich.

Crois-tara Àrd nam Manach,
baile an Fhraoich is Druim na Drochaid,
gus do chomharrachadh;
do dheò beò a chumail annainn.

Saoil an sioft na spiricean
eu-dìon as ùr nan stèidhean,
gus do stiùireadh os ar cionn,
's tu gad chumail uainn.

Nar làithean nì sinn ceangal
eadar solais àrd' an speura
gus faoisgnich ar tuigse dheth
mar dhealbh maoiseach airgid.

Mothaichear aig meadhan-oidhche
reul eile nach fhacas riamh
ùr-thaisbeanta san iarmailt
's e liath macanta mìn.

Ceòl air tighinn gu aona cheann,
aithnichidh sinn co-chòrdachd;
guth nach cluinnear seo nas mò,
ach an co-sheirm nan cruinne.

Grioglachan ga ghleusadh
na bhogha thar na Gàidhealtachd,
na shìneadh eadar ar cathair-bhaile,
Buirgh na Hearadh, Ghlaschu 's an Gnìoba.

Constellation

In memory of Maggie MacDonald

I remember the instance of us
standing row on row,
before the raising of the hands
that drew us in, together.

It was you who could translate
the marks to melodies in an instant,
and put the cadence in motion
with a quick squeeze of the hand.

It was you, with one wink,
who would communicate your ease
in the smile that shone out of you
like a mother's pearlescent sheen.

We cleaved to your light, as if
you were the mast and the music,
the wind below white, billowing sail,
to which, together, we surrendered.

Now we sail with you, out,
like a pinnace on the river,
as the news sparks like torches,
either side of the banks.

Beacons in the Black Isle,
Muirtown and Drumnadrochit,
to mark you in your passing,
while your vitality lives within us.

Wondering if the steeples shift,
newly vulnerable in their foundations,
to guide you up, beyond,
as you are taken from us.

In our day, we divine the lines,
between those heavenly bodies,
let understanding emerge,
across that silvered mosaic.

Noticing at midnight,
another star before unseen
presented in the firmament,
gentle in its flickering.

Music come to final climax,
we will know that harmonic;
a voice nolonger heard of here,
outwith the music of the spheres.

A constellation fine-tuned
into a bow across the Highlands,
stretching out from our capital,
to Borve, Greepe and Glasgow.

Òran a' Chalmain

Do na mnathan a thug foghlam dhomh

Cha tu leithid calmain
a ghèilleadh fhèin do chèidse iarainn.
Gun ghluasad air na gàdaichean,
gheibh thu fuasgladh dorais-bhùird
is mas teàrnadh bheir tìm air do shlighe,
's e do char an nì thu iomlan
is tu sgiathach a-nìos, an aircis nan àrd.

Cumaidh tu an uachdar sinn led bhrìgh,
nan robh sinn riamh dall,
's ann tron fhonn 's tu fhèin a chruthaich
a thuigeas sinn do chiall.
'S ann le sgaoileadh do sgèith,
a nì thu sin: saidh tàirsinn air fàire
agus chruinnich thu do threud—
èirigh sinn uile air ite, càch a chèil'.

'S fhiach feuchainn, 's fhiach tuigsinn,
cluinnidh mi do ghliocas nad fhìrinn mhìn
agus mi a bh' ann an èiginn, iomadh uair.
Nuair a sheinneas, bidh mi 'g èisteachd riut:
a chalmain, rinn teicheadh na cèidse.

Cha tu leithid calmain,
a ghèilleadh rèist do choileach goirsinn.
Ged a dhèanadh esan fioram faram,
's ann leats' a tha an reusan binn
is mas teàrnadh bheir e air a shlighe,
's e a char a nì thu iomlan
is a stiùireadh dh'ionnsaigh buannachd na doimhn'.

Cumaidh tu an uachdar e led bhrìgh,
nan robh a chluasan balbh,
's ann tron fhonn 's tu fhèin a chruthaich
a thuigeas e a chiall.
Bheir thu 'n t-oideas as ciataich'
bh' aige riamh: foghlam cumhachd ciùin,
gur e 'n t-èadhar a th' eadar itean
an nì bheir èirigh shèimh dha dhuan.

'S fhiach feuchainn, 's fhiach tuigsinn,
cluinnidh mi do ghliocas nad fhìrinn mhìn,
agus mi a bh' ann an èiginn, iomadh uair,
Nuair a sheinneas, bidh mi 'g èisteachd riut:
a chalmain, rinn teicheadh na cèidse.

Dovesong

For the women who educated me

You aren't the sort of dove
who'd herself surrender to an iron cage.
Motionless against the bars,
you find freedom in a trapdoor
and if the times force your flight into descent,
you perform a perfect inversion
and up you soar, towards the heights.

It's you that upholds us with your spirit,
and if we were ignorant before,
it's through the melody you've created
we get the gist,
It's in the spreading of your wing,
you do this: chevron flight on the horizon,
and you have gathered your flock
all a-wing, we together, in the firmament.

It's worth trying, understanding,
I hear wisdom in these fine-tuned truths
and, I, who often am in danger,
when you sing, I listen to you:
the dove that escaped the cage.

You aren't the sort of dove,
to make concessions to a cockerel's crowing.
Despite the stamping of his feet,
you have harmony and reason,
and if he sends himself into descent,
you'll completely invert him,
steer him into being an asset to the world.

It's you that upholds him with your spirit,
if his ears were ever deaf,
it's through the melody you created,
he'll get the gist.
You bestow the handsomest instruction
he ever had: learning power in his softness,
that it's the air between the feathers,
that is gentle and will raise in him his song.

It's worth trying, understanding,
I hear wisdom in these fine-tuned truths
and, I, who often am in danger,
when you sing, I listen to you:
the dove that escaped the cage.

Là na Nollaig

Tro sgàil-dhealbh nan craobh,
tha mi coimhead liathadh beul na
maidne, uisge-dhathte, ruaidhte

Ris an Iar, na bàn-chorchra a' caochladh
a rèir èirigh grèine do-fhaicsinnich
ach ann an gealladh fionn-ghorm.

Sna geugan dubha, tha mi a' trialladh
buaidhean na seann-bhliadhna, feadhainn
nas motha na càch, feadhainn eile

Nas lugha, nan lothairean an aghaidh
nan speuran agus ar leam, air an là seo,
an iad fhèin a chuir am beàrn air dòigh,

Trom faiceamaid na tha romhainn,
atharrachadh na sìde, 's sinn gun sealbh oirre.
Cha chuirear ach uimhreachd air an t-sual.

Romham coinnleag ròis, a bhileagan teann,
dìon an aghaidh a' Gheamhraidh, mar a
lean i rithe, bàn-dhearg an aghaidh na finne.

Na h-eòin fad às, cha sheinn iad luaidhean,
ach na binneasan gun a leithid, aca fhèin,
a' sireadh fàilte ann an siansaidh sholais,

Agus mi a' cuimhneachadh, gur ann air an là
seo, a chomharraicheas teaghlach triùir
is sinne sona bhith còmhla, nar triùir, a-rithist.

Christmas Day

Through the trees' silhouette,
I watch the mouth of the day
grow grey, watercolour blush

In the East, the lilac hues give
way to a sunrise, unseen,
but in a pale blue promise.

In the inky boughs, I envisage
the victories of the old year,
some greater than others, others

Lesser, spindly against the skies
and I wonder, on this day,
if it's they, themselves, created the void,

Through which we behold all before us,
the abating of the storm we cannot own.
We can only observe its wonder.

Before me a rosebud, its petals fast,
defends against the winter, and
inspite of it, pink against the whiteness.

The birds, far off, sing no carols,
but melodies unique to them,
seeking welcome in light's harmony

And I remember, that it is on this day,
we mark a family made three and likewise,
we three, happy to be together once more.

Duine

Duine

Feòil is fuil is cnàmh is eanchain.
Buill gam figh' air ais rin cèile,
bioran iarainn a phrioc an smior,
cliathach thar gàgan sa chraiceann.

Tha a chliabh na mèidh,
siantan uile nan cuideaman
is an dùbhlan roimhe an
tomhas is an cothromachadh.
'S aithne dhut an tòimhseachan.

Chan iongnadh an crùbaiche san dà-rìribh:
Càrna air ait air na ceanglachain.
Croman duine dh'fhàs cleachdte ris na buillean;
stiall fala san uisge,
an àin a dhàth an fheusag,
uspag a sheacas deòir làir.

Tionndaidhidh tu bhuaithe,
faclan a bheuma caithte dha na speuran.
'S mathaid gu bheil sin nas fhasa.
Chan eil ann ach comharra-ceist.

Cha mhùchadh tu an lasair ann,
ach tu iomgaineach ron chorrachag-cagailt.
Sradag ga chur ann, 's mathaid gun lasar tùrlach;
tha thu air fhaicinn roimhe.

Ghlèidheadh tu air talamh e;
làmhan a ghrèimicheadh adhbrannan.
Ga leigeil mu sgaoil, 's mathaid gur esan iteal,
Fèilleadh is lèine nan itealag craoibhe-seice,
Solas sìolaichte tro chraiceann, mar sgiath ialtaige.
Dhiùltadh tu an sealladh sin;
ged bu bhòidheach is neònach e, aig an aon àm;
Tìm is na sìontan gan tarraing còmhla,
's mathaid gun stiùireadh e na siantan.

Giùlan de neòil a' tolladh,
sràcan dealanaich is tàirneanaich
's mathaid gun dòrtadh an dìle
thar duine a chruthaich an saoghal;
bodach-ròcais bàird,
am bogha-froise nis sgapte,
gach tuar is dath nam boinneagan,
a' sileadh sìos gu rùsg na cruinne,
is sibhse uile, cruinnichte
acrach beul-fosgailte.

Man

Flesh and blood and bone and brain.
Limbs knit back together,
pins of iron that puncture the marrow,
latticed across the skin's crevices.

His ribcage is a weighing scale,
his fundaments, his measures
and his challenge is to balance them.
You know the conundrum, yourself.

Little wonder, then, the limping:
Flesh swollen on the ligaments.
A hunchback accustomed to the punches;
bloody streak in the water,
the fire has scorched the beard,
teardrops evaporate on the centre ground.

You turn from him,
to cast the words of insult to empyrean.
Maybe that's easier.
He's just a question, Mark.

You wouldn't stifle the flame within,
but you're anxious of the embers, dancing.
Spark them and they might alight a blaze;
you have seen it before.

You'd keep him earth-bound;
hands grasp the ankles.
Let at large, he might take flight,
kilt and shirt, a sycamore kite,
light filtered through his skin, like a batwing.
That's a vision you'd avoid;
could be beautiful, could be queer, or both;
time and essence pulled together,
and he might yet command the elements.

A drift of clouds gather,
strokes of lightning and thundering
and the downpour might descend
on the man the world created;
this scarecrow of a poet,
now a rainbow, shattered,
droplets of every hue and pigment
showering down to earth
and you all, gathered there,
ravenous and enraptured.

Duf na Nollaig

Tha corragan mo làimh'
ag àireamh bliadhnaichean m' fhàis,
le mo ghrèim teann mu spàin fiodha
agus coltas ro mhòr air dhomh,
ged a chuireas mi timcheall a' bhobhla i.

'S mi samhla ath-nuadhadh an t-sìl,
do dhòchas annam,
gach rud a choisinn thu,
gach cothrom a chall agus mo bhreith,
a thàinig ri là nach tàinig ri linn.

'S tu a tha air gach grìtheid a chur ann,
a rèir d' eòlais:
· measgachadh mheasan seacte
· spìosradh milis
· seiridh no branndaidh
· min–fhlùir is uighean is ìm.

Leis an taois air a toirt còmhla,
teanga bheag ri othail an spàin,
tha thu ga phaisgeadh sa pheàrlainn,
mar a phaisgeadh d' ogha as òige,

Nuair a chaidh mo thoirt dhachaigh,
air Feasgar nam Bonnach, '84,
do do thaigh-sa seach ar taigh fhìn,
suainte ann am basgaid agus
bonn a sia, mu thràth, nam bheul.

94

Christmas Pudding

The fingers of my hand,
amount to years I have grown,
with my grip, tight around the wooden spoon,
which seems far too big,
though I send it round the bowl.

I am sign of the renewal of the line,
your hopes in me,
all you achieved,
all you lost and my birth,
came in one day, unto the age.

You place the ingredients,
according to your experience:
· dried mixed fruits
· sweet spices
· sherry or brandy
· flour and eggs and butter

With the mixture brought together,
a little tongue disquiets the spoon,
and you wrap it in muslin,
as your did your youngest grandchild,

Brought home
on Christmas Eve, '84,
to your house, not ours,
swaddled in a basket and
a sixpence already in his mouth.

Fàs

'S tu òg,
bha iad na bu mhò na bh' aig càch,
a' deàrrsadh a-mach à dealbh
agus thusa nad shuidhe air ruga cuarsgach.

Ri èirigh gu inbheachd,
b' ann na bu lugha a dh'fhàs iad,
na clachan a' fosgladh 's a fàsgadh
fhad 's a leig a-steach iad
lèirsinn an t-saoghail mhòir

Agus na bu ghuirme a thionndaidh iad,
dh'aindeoin fàinne flinne buidhe
a chuairtich na dubha.

B' e fàinne farnaid a bha sin,
a chuingich do rosg-fhradharc ro
cuirp fhireannaich eile,
iad a thàinig gu ìre dhìreach,
fhad 's a dh'fhan thusa
faoin,
        falamh,
                lag.

Waxing

In your youth,
they were bigger than others'
shining out of a photograph,
with you seated on a circular rug.

Rising into adulthood,
they grew smaller,
the pupils dilating and diminishing
as they let in
visions of the wider world

And ever-bluer they became,
despite the ring of gold on sleet
enclosed by the black.

It was a ring of envy, that,
and it constricted your perspectives
on other men and their bodies,
how they rose, perpendicular,
whilst you remained
futile,
            empty,
                        weak.

Anail
Às dèidh Edwin Morgan

Seach rud a leig thu   a-mach,
rud a leig sìos

thusa,

gun nùidheadh gu leòr
do   bhrùthadh timcheall traca
's
    tu aig
        an t-sìor-
                    chùl.

Arrhythmia
Le taing do Phadraig is Daibhidh—
Braithrean-bhàird

Ball nach fhaca mi riamh,
ach a sheall mi do chàch
ged bha sealladh agam air,
a chruth cruinn, a bhualadh,
tro bhith a' cnuasachadh
ìomhaigh cridhe cuid eile.

Breath

After Edwin Morgan

Instead of being let   out,
it let you

down,

without the momentum neccessary
to   get you round a track
and
    you
          trailing
                    behind.

Arrhythmia

With thanks to Pàdraig and Daibhidh—
Bardic Big Bros

An organ I've never seen,
but have shown to others,
despite glimpses of
its form, rotund, its beating,
in ruminating the image
of other man's heart.

Làmh ri Glèidheadh
Às dèidh nan rannan-cloinne

Tha cuimhne leam an là
chum thu mo làmh na do làimh-s',
's sinn air coiseachd an àrd-shràid
bhon fhlat agam dhan bhaile.

Thuirt thu air an là sin: "'S dòch'
gur sinn an fheadhainn neartmhor,
oir ma chì òganach gèidh sinn,
chì e gu bheil e ceart gu leòr."

"OK," ars mise, dòchasach,
gun cumadh tu i an-còmhnaidh,
ach cha do chum thu riamh a-rithist i,
is chum thu do làmhan-sa nad phoca.

"OK," ars mi rium fhìn, an uairsin,
is dh'fheuch mi cruaidh do thuigsinn,
an dòchas cun cumadh tu mo làmh,
an dùil gun ionnsaichinn foighidinn.

Mu dheireadh, rinn thu ar dealachadh
is thog mi slighe eile;
bhon uairsin riamh an dòchas
ri làmh eile a ghlèidheadh.

Thuig mi air an oidhche sin,
gun tigeamaid gu crìch;
cha b' e mo nàire-s' a dh'fhairich
mi ach an nàire bha nad chridh'.

Hand to Hold

After the nursery rhymes

I remember the first day
you held my hand in your own
as we walked along the highstreet
from my flat into town.

You said to me that day:
"maybe we're the strong ones,
because a young gay man might see this
and might know this isn't wrong."

"OK," I said, forever hopeful
you would always hold my hand,
but you never did again
and in your pocket, yours remained.

"OK," I said, then, to myself,
and tried hard to understand,
took the exercise in patience,
hoped your hand-hold might return.

Eventually, you made your break,
I took a different course;
from then on I have been hopeful
to hold a different hand from yours.

I understood that very evening,
that it would come to a conclusion;
because it wasn't my shame I felt
but your own, in your foundations.

Saighead

Uaireannan is as cruthachaile mi,
saor am broinn nan loidhnichean,

Mo bhrìgh mu sgaoil ann an cille gaoil
agus 's àite cùbhraidh cràbhaidh a tha sin.

Mo shliasaidean paisgte mu do mheadhan,
làmhan teanna mu do shlinneagan

Gus do shlaodadh dham ionnsaigh
agus buige pògan mo bheòil.

Do ròinneachd ruadh
ri gilead mo bhoillich.

Gu dearbh, 's saighead miann a ghabhainn ris
a' tro-lodadh mo bhodhaig slàn is

Ma thèid mo chuingealachadh,
dh'iarainn do ghàirdeannan bhith nam chuinge,

Ma thèid mo sgrùdadh,
mo reachd bhith maireann fo do shùil

Agus mas mo chridhe bhiodh fod phrosbaig,
creid thu fhèin gum buaileadh buan e na do chlèibh.

Arrow

Sometimes I'm at my most creative,
at liberty within the lines,

My essence let loose within the cell of love
and that, a fragrant, sacred space.

My thighs furled around your waist,
hands taut around your shoulderblades

Just to haul you towards me
and my mouth's moist kisses.

Your roughness, russet
against the whiteness of my chest.

Indeed, the arrow of desire I'd receive,
impaling my body, entirely, and

If I am to be ensnared,
it's your arms I'd ask for my bondage,

If I am to be observed,
my climax lasting in your eyes

And if it's my heart that's in your prospect,
believe me, it'd beat eternal in your chest.

Là Luain

Co-sgrìobhte le Raonaid Nic an Fhùcadair

Gun tilleadh an làn thu, a luaidh,
ach cha tig an là gu Là Luain.

'S truagh nach robh sinne, a ghràidh,
ann an eilean mara gun tràigh,
ach stuadhan uaine gun bhàidh,
sìor-thàlach dhuinne, a luaidh
is clachan air creagan gun fhraoch,
sinn sìnte taobh ri taobh,
gach brìodal is miann fa sgaoil,
bàthte le taom-chladaich gaoil.

'S truagh nach robh sinne, a ghràidh,
air bàta 's ri iomramh-ràimh
gun chombaist, gun taic reul-iùil,
gun duine ri brùthadh an stiùir,
ach gath-gealaich deàlrach air tonn
's ceann-ùidhe ar slighe nar fonn,
gach brìodal sna h-oiteagan tlàth,
an sruth ar cainnt-gaoil, trast an Tàbh.

Gun tilleadh an làn thu, a luaidh;
ach cha tig an là gu Là Luain.

'S truagh nach robh sinne, a ghràidh,
ann am baile gun fhois àite-tàimh,
solais a' deàrrsadh gu cian,
a bhàthadh fiù 's a' ghrian,
air sràidean làn daosgar-sluaigh,
gun mhànran 's sinn làmh ri làimh,
gach brìodal ga mhùchadh le fuaim
measg daoine ri glaodhraich is gruaim.

Gun tilleadh an làn thu, a luaidh,
ach cha tig an là gu Là Luain.

A' feitheamh le foighidinn, a luaidh,
ach cha tig an là gu Là Luain.

A' feitheamh a' feitheamh, a luaidh,
ach 's fhada gun tig ar Là Luain.

Lá an Luain

Go bhfille an taoide thú, a rúin,
ach ní thiocfaidh an lá sin go Lá an Luain.

Is bocht nach raibh muidne, a thaisce,
in oileán mara gan trá,
ach tonnta uaine gan bhá,
síor-neamúil dúinne, a stór
is sráidbhaile ar aillte gan fraoch,
sinn sínte taobh le taobh,
gach cabaireacht is mian saor,
báite i dtonn-chladaigh grá.

Is bocht nach raibh muidne, a chroí,
ar bád is le hiomramh rámha
gan chompás, gan tacaíocht réalta eolais
gan éinne leis an stiúir a bhrú,
ach ga gealaí ag lonrú ar tonn
is ceann scríbe ár mbealaigh inár fonn,
gach cabaireacht sna leoithní tláithe,
I sruth ár ngráchainte, trasna an lir.

Go bhfille an taoide thú, a rúin;
ach ní thiocfaidh an lá sin go Lá Luain.

Is bocht nach raibh muidne, a thaisce,
i gcathair gan fos na áit chónaithe,
soilse ag lonrú go coimhthíoch,
A bháfadh fiú an ghrian
ar shráideanna lán daoscarshlua,
gan dordán is muid lámh le lámh,
gach cabaireacht á múchadh le fuaim
i measc daoine ag gáirtheach faoi ghruaim.

Go bhfille an taoide thú, a rúin,
ach ní thiocfaidh an lá sin go Lá an Luain.

Ag feitheamh le foighne, a rúin,
ach ní thiocfaidh an lá sin go Lá an Luain.

Ag feitheamh ag feitheamh, a rúin,
ach is fada go dtiocfaidh Lá ár Luain.

Sluagh

Ciad-ghin
Do Mhairead

Air trì làithean na bliadhna,
Nì a smuaintean laighe
air mala sèimh a' phàiste,
a ghlèidh i, aon uair, na h-uchd.

Beagan às dèidh trì uairean,
brisidh iad a suaimhneas;
òran ùr na beul is botannan-
bàil-choise na làimh.

Ged is leòr dhi an dithis sin;
is i na suidhe eatarra,
aig bòrd a' chidsin, is
leabhraichean fosgailte,

Cha dèan i a' mhatamataig.

Aon + dha, a' dèanamh trì,

Is mothaichidh i am beàrn.

Oir 's tu am pàiste
nach suidh ri a taobh,
air 25mh na Sultaine,
is am foghar a' sìor-thighinn.

Nì i cunntais nam bliadhna,
mar chlàr nan uireadan;
trì
    sia
        naoi
            dusan
                còig-deug
                    ochd bliadhn' deug is

Lìonar a smuaintean,
leis a' ghille a bhiodh annad,
air an là sin, air na làithean eile.
Gach là nach bi sibh còmhla.

Firstborn
For Mags

On three days of the year,
her thoughts alight on
the tranquil brow of the child
she held, one time, in her arms.

Shortly after three o' clock,
they breach her peace;
song in mouth and
football boots in hand.

Never less than enough,
as she sits between them,
open books at
the kitchen table,

She can't quite do the maths.

One + two, make three,

and therein she feels the void.

Because it is you, the child
that doesn't sit at her side,
on the 25th of September,
with the autumn ever turning.

She counts the years,
thrice multiplied;
three
    six
        nine
            twelve
                fifteen
                    eighteen and

Her thoughts, thrice-filled
with the boy you might have been,
on that day and other days.
Every day you are not together.

Làmh Bheag

Don chloinn

Dh'inns thu dhomh, an-diugh,
gun robh thu air m' ionndrainn
is do shùilean boga, gorma,
a' coimhead orm, bhon bhòrd.

Thug thu mo làmh,
gus mo striùireadh tron trannsa,
far an ruith thu gach là,
is mi 'g èigheachd às do dhèidh-sa.

Ò, nach stiùireadh tu mi,
le do làimh bhig,
gu àite far a bheil gach là
na shaoghal ùr;

Far an seasadh tìm is sinn
a' coimhead air an t solas,
a' dannsadh thar dathan a' bhrat-ùrlair.

Le do cheann beag rim chois,
dh'iarradh tu orm seinn dhut
a-rithist is
      a-rithist is
            a-rithist.

Oir chunnaic mi, lem shùilean raga,
cho cruaidh 's a tha an saoghal
is b' fheàrr leam nach seallainn dhut
rud a bhriseadh seud do dhùil.

An-diugh, b' fhearr leam gum fuiricheadh tu
is gun stiùirinn thu dhan aighear,
le do làimh bhig nam làimh-sa
is tu a' dannsadh leam le gàire.

Wee Hand
For the children

You told me, today,
that you'd missed me,
and your soft, sapphire eyes,
staring up from the table.

You took my hand,
to lead me through the corridor,
that you run along each day
as I call after you.

Oh, that you would lead me still,
with your little hand,
to a land where every day,
is brand new world.

Where time would stand
and we would watch the light
dance the colours of the carpet.

With your little head at my foot,,
you'd ask me to sing to you
again and
        again and
           again

Because I've seen with my sullen eyes,
the hardship in this world
and I'd rather leave unseen, the things
which breach your crystal hopes.

Today I'd rather that you stayed
so I could lead you into joy,
with your little hand in my hand,
dancing round me with a smile.

Nighean a' Phìobaire

Nuair a thuirt iad nach freagradh
Eachdraidh beatha do chinnidh.

Bhuaileadh mi le iongantas.

Bu mhòr rium riamh a
chòrd do sgeòil;

Fuaim do mhic-sa le feadan.

Alto

An oidhche reimhid,
thuirt thu nach bruidhneadh tu
air cùisean bròin.

Bha thu ceart;
cha bu mhath an t-àm.

Air oidhche eile,
cha b' urrainn dhomh fantail
bog balbh.

Mhol thu fèin-chomhairle
a ghabhail.

Cha chuala mi riamh
facal do bhilean fhàgail
nach do shiubhail
tro chuislean do chridhe.

The Piper's Daughter

When they said your genealogy
didn't fit with their story.

I admit I was shocked.

I have always enjoyed
your stories;

The sound of your son on the chanter.

Alto

The other night,
you said you'd not speak
of sad things.

You were right;
it wasn't the time.

Another night,
I couldn't keep my
big mouth shut.

You suggested I
heed my own advice.

I have never heard a
word leave your lips
that didn't get there
via the vessels of your heart.

#AgusMise

An-diugh, sgrìobhaidh sinn dà fhacal,
nach comharraich còrdadh ach co-fhaireachdainn;

Dlùth-phàirteachas sìnte
thar gach ceàrnaidh na doimhne.

San dòigh seo, 's tu mi,
's mi thusa, còmhla
nar n-eòlas cruaidh co-roinnte.

Am boireannach na suidhe aig deasg,
no air sòfa is fon na làimh;

Thèid a h-inntinn
gu bòthar dorchadais,
talla-dannsa làn dhaoine
nach do leag an làmh a bhean rithe.

Sàmhchair an ceàrn ciùin na h-eanchainn.

San dòigh seo, 's mi thu,
's tu mise, cuimhneach air an oidhche sin;

Ùr-thillte bho obair, bha e
feitheamh rium sa chidsin
—a' mhisg air—
mar a thug an deoch cead
dha a mhiann a choileanadh.

A cheann gun bhliam,
is dòcha gun sguabadh
an tachartas bho inntinn,
's e pràmhach, dìon na shuain.

Ach nuair a dh'èirich mi sa mhadainn
gus a chorragan fhaireachdainn
am broinn mo bhriogais,

Bha fhios gun d' fhàg e làrach
air mo chraiceann,
air nach faigh mi cuidhteas gu bràth;
a shiubhlas tron t-saoghal leam,
gu fàth-fiata.

Thu mi, mi thu
agus mise.

#MeToo

Today we compose two words,
no mark of agreement, but condolence;

Solidarity stretched out
across each quadrant of the world.

Likewise, you me,
I you, together
in our cruel experience, shared.

The woman seated at a desk,
or on a sofa, phone-in-hand.

Her mind retraces a darkened alley,
a dancehall and a horde,
that did not quit the hand
that touched her.

A quiet quarter of silence in her mind.

Likewise, I you, you me,
mindful of that night;

Just in from work,
he, waiting in the kitchen
—pissed—
as if the drink were licence
to realize his desires.

Head stupefied, safe, perhaps,
in sozzled slumbers,
his memory might erase the act.

But as I rose in the morning,
to feel his fingers still upon me,
deep, below the waistband,

I knew then he left a mark
upon my skin,
I can never remove;
it will always travel with me,
unseen.

You me, I you,
me too.

Feachd Dubh Dearg
Òran do Chòisir Ghàidhlig Inbhir Nis

Tigeamaid còmhla gus ar n-òran a ghabhail,
gach guth an gleus is àit' do gach sonn.
Biodh co-sheirm Gàidhealach an còrdadh sa chruinne,
an co-cheòl ar n-òrain, 's a' ruith nar fonn.

Biodh umainn am breacan dubh is dearg,
aodach ga roinneadh rèir feum gach seòid,
le fàilte chridheil ro chompanaich nuadh
a chumas ùr-shnuadh ri èideadh ar sgeòil.

I
Fighibh a mhnathan tuaran ar sgìre,
fraoch na mòintich, eibhir dhearg a' bhaile.
Dlùth dubh gu leòr is fuigheall innich,
tro shnàithlean àlainn ar n-eachdraidh innse.

Buailibh uile an clò-bhreacan le chèile,
le ruitheam bhonn air sràidean a' bhaile
is an aodach rèidh mar chlachan-chàsaidh,
leigidh ar làmhan e, ga ghabhail air aghaidh.

II
Iomairibh fheara, dlùth-shlaodaibh na ràimh
's an curach ga starradh gu inbhir an àigh,
gàirdeanan tapaidh ga tharraing maraon,
gus gealladh na fàire, còmhla, a ruighinn.

Gèillibh uile do shruth na h-aibhne,
le creideamh catharra Chaluim Chille,
a sgiùrs uilebheist allaidh nan Cruithneach,
gus ghaisge a thaisbeanadh ron chruinne-cè.

III
Nar cuimhne na gaisgich a chrìon nar cuideachd,
làmhan-taice a chaill sinn gu h-aithghearr,
gam faireachdainn fhathast, dìon air ar guailnean,
gar bruthadh a dh'ionnsaigh ceann-ùidhe ar rùin.

Biomaid le chèile, gach ceum an astair,
ròsagan air ar broillich is gleans air ar brògan.
Ge b' e càite a' chaismeachd d' ar feachd, d' ar n-airm,
's ar casan 's ar guthan a chluinnear maraon.

Fórsa Dubh Dearg

Amhrán do Chór Gaelach Inbhir Nis

Téanam le chéile chun ár n-amhrán a gabháil,
gach guth an gléas is áit do gach laoch.
Bíodh comhcheol Gaelach ina armóin sa chruinne,
I gcomh-sheinm ar n-amhráin is ag rith inár bhfonn.

Bíodh tharainn an breacán dubh is dearg,
éadach á roinnt de réir ghá gach laoich,
le fáilte chroíúil roimh chomrádaithe nua,
a fhífeas snáithe úr in éide ár scéil.

I
Fígí a mhná líocha ár gceantair,
fraoch an mhóintigh, eibhear dhearg an bhaile.
Dlúth dubh go leor is fuíoll innigh,
trí shnáithe áille ár scéil a insint.

Buailigí uile an bréidín le chéile,
le rithim boinn ar shráideanna an bhaile
is an éide chomh réidh le fleaigí pábhála,
ligfidh ár lámha di, á bogadh ar aghaidh.

126

II
Iomraígí a fheara, dlúth-shlaodadh na rámhaí
is an curach le turraing chuig inbhear an áthais,
géaga cliste ag tarraingt le chéile,
I dtreo íor na spéire is a ngealladh dóibh ann.

Géilligí uile do sruth na habhann,
le creideamh cathartha Choilm Chille,
a sciúrsáil ollpheist allta na gCruithneach,
Le gaiscíocht a thaispeáint os comhair na ceathair-
    chruinne.

III
Inár gcuimhne na laochra a chríon inár gcuideachta,
Lámha cúltaca a chailleamar go luath,
á mothú fós, ag cosaint ár nguaillí,
dár mbrú chun ceann-scríbe ár rúin.

Bímis le chéile, ar gach céim an aistir,
róiséid ar ár mbrollaigh is snas ar ár mbróga.
Is cuma cén áit a máirseálann ár bhfórsa, ár n-arm
agus go gcloistear ár gcosa is ár nguthanna mar aon.

Dùbhlan

Òran do Jackie, May is Màiri, màthraichean-stèidheachaidh
Chòisir Ghàidhlig Lodainn, a' comharrachadh soirbheachas na còisir
ann an 2018 is mar chuimhneachan air Marshall is Iain.

'S ann le ciaradh na Samhna,
a shìnear air ar bliadhna as ùr,
leis an t-saoghal-ciùil ga ath-nuadhadh
nì sinn ar bogadh ann, gu dùr,
agus 's e sin a' chiad dùbhlan
chuirear romhainn is ar guthan gun sgur
a' toirt brìgh air a' bhàrdachd as grinne,
fonn binn a dhèanamh dhith le tùr.

Ach 's bitheanta bhios ar smuaintean
air duine rinn bheatha de rian,
thuigeadh ceart is ceàrr is tròcair,
thogadh ceist air gnàth nan cian.
Ri ar taobh, ar triath osgarra,
a thugadh bhuainn ro a linn,
ach tro shruth traidisein dhìlinn,
gheàrr sinn slighe ùr linn fhìn.

'S ann le liathadh a' gheamhraidh,
a leanas sinn oirnn gu luath,
gar tarraing a chèile an raghan,
a' gèilleadh do shiansadh gun sùdh,
agus gabhaidh sinn ri ar dùbhlan,
chuirear romhainn is an t-Earrach na bhlàth ùr,
a' toirt làmh-taice do dh'fhir is mnathan,
ri ar taobh, ge b' e a thèid dhuinn.

Ach 's bitheanta bhios ar smuaintean
air duin'-uasal a chùm sinn dlùth
bha fìor-shìobhalta na dhòigh,
bha na dhùrd comhairle don chluais.
Nuair thig ar co-sheirm còmhla,
's tric a chluinneas sinn a ghuth,
ann an sruth a' chiùil sa chathair,
anns gach clach, gach dàn, gach dùil.

'S ann le tonn-teasa sòghmhor an t-Samhraidh,
as aithne dhuinn as dlùithe an dàimh,
an làmh-dìlse ga sìneadh eadar caraidean
ann an dealas a sheallas sinn dar cainnt.
Nàile,'s e sin am fìor-dhùbhlan,
a cumail an àirde le aighear
is i cùbhraidh is calm' anns gach gàrradh,
far am fàs an Dùn Èideann ròs geal.

Sin dìleab bogh-froise
a dheàrrs gu soilleir thar Bhogh Mhòir
is a dhathan san tartan, fhathast,
a chuireas sinn umainn, gu bràth.

Tuaran saifeir deàlraich ach dìleas,
lainnir sùmainn sgòthan is speur òir.

Dúshlán

Amhrán do Jackie, May is Màiri, Máithreacha bunaidh
Chór Gaelach Lodainn, ag céiliúradh shoirbheas an chóir in 2018
is mar chuimhneachán ar Marshall is Iain.

Is le crónú na Samhna,
a shíntear ár mbliain arís,
leis an saolcheol athnuaite,
déanfaimid ár dtumadh ann, le dua,
agus is é sin an chéad dúshlán
a chuirtear romhainn is ár nguthanna gan scor
ag tabhairt brí don fhilíocht is áille,
fonn binn á dhéanamh aisti le ciall.

Ach is minic a bhíonn ár smaointe
ar dhuine a rinne beatha de chóras,
a thuig ceart is mícheart is trócaire,
a thug ceist ar nós na gcianta
Lenár dtaobh, ár ngaiscíoch gríofa,
a sciobadh uainn roimh a lá,
ach trí shruth an dúchais dhil,
ghearramar bealach nua dúinn féin.

Is le liathadh an gheimhridh,
a leanfaidh muid orainn go gasta,
ag cruinniú le chéile i rónna,
ag géilleadh do shiansa gan uaim,
agus tabharfaimid an dúshlán
a chuirtear romhainn is an tEarrach ina bhláth nua,
ag tabhairt lámh cúltaca d'fhir is mná,
lenár dtaobh, beag beann ar a dtarlóidh dúinn.

Ach is minic a bhíonn ár smaointe
ar dhuine uasal ar dhlúthchara é,
a bhí fíorshibhialta ina dhóigh,
a bhí ina shiolla comhairle don chluas.
Nuair a thiocfaidh ár gcomhcheol le chéile,
is minic a chluinfidh muid a ghuth,
i sruth an cheoil sa chathair,
i ngach cloch, gach dán, gach dúil.

Is le tonn teasa shómasach an tSamhraidh,
a aithnítear gur dlúithe an gaol,
lámh dhílis á síneadh idir cairde
an dílseacht a léiríonn muid dár
Leoga, is é sin an fíor-dhúshlan,
í a choinneáil in airde le áthas
is í cumhra is calm i ngach gairdín,
ina bhfásann i nDún Éideann rós geal.

Sin oidhreacht bogha báistí
a dhealraigh go soiléir thar Bhogh Mhóir
is a dhathanna sa bhreacán, fós,
a chuirfidh sinn tharainn, go deo.

Líocha saifíre, lonrach ach dílis
loinnir maidhm scamaill is spéir óir.

Peathraichean Neònach

By the pricking of my thumbs,
something wicked this way comes.
    —*Shakespeare*

'S ann mu choinneamh duibhre meadhain-oidhche
a nì sibh ur diuchdadh bàn-aghaidheach,
ur sùilean nan dubh-dìgean agus, roimhe,
's sibh a sgaoileas ur n-aislingean:

Aodannan ceanalta, glacte nur sgleòthan,
mar fhaileas saoghail as aithne dha, mas fhìor,
air a thogail gu dìomhair, air a chùl.

Nam beòil, ur briathran 's ur gàire magail
's iad a-nis fo fhòcas, a' dannsadh nur n-ortha,
air tionndadh nur n-ìomhaighean prìnichte.
Cuimhne bras-mhacnais na sgeids guail-fhiodha,
tha i smiùrte le caol an dùirn is nì dìlse laighe,
mar ghinean sùla sgeannaich, cèireach fon ùir.

'S sibh a dh'èirich sgrìn dhuibh fhèin,
air monadh nach eil ann is do-ruigsinneach
ach trast cabhsair neònachais oillteil.

Cha dèan basraich ur corragan carraigeach
àicheadh na fala sgaoilte eadar ur sia làmhan
is geòbachadh ur creuchdan calgaireach oir

Fhad 's is sibh tha ri rù-rà grùdachaidh
ann an greallach rìoghachd sighidh,
am measg ur ceò-theasa is ur deathaich,

Nì e seasamh rùisgte ris a' ghèile,
a chionta ga shiabadh leis na siantan,
gun fheum air claidheamh no sgiath,
oir is fhacal a chumhachd, a chrò-naomh,
agus a-mach à fuil chaithte ùthachd rìghrean,
gabhaidh nua-phrionnsa roimhe ceumnachadh.

Wyrd Sisters

By the pricking of my thumbs,
something wicked this way comes.
                    —Shakespeare

Before a backdrop of black midnight
you are manifest, pale-faced,
your eyes are sunken ditches and,
before him, you unwind your visions:

Familiar faces, caught in your vapours,
a reflection of a world he almost knows,
built behind is back, in secret.
In their mouths, your words and mocking laughter,
brought into to focus, they dance your incantation,
transformed into your pin-laden effigies.

Memory of bonhomie is a charcoal sketch,
smudged by the wrist and loyalty lies
foetus-like, its eyes stare up, waxy under soil.

You have raised for yourselves a shrine
on a moor that doesn't exist, unreachable
but via a causeway of morbid curiosity.

No knuckles', fingers' wringing can disavow you
of the blood shared between your six palms,
the gaping of your treacherous stigmata, for

As you busy yourselves, fishing around
in the entrails of a vanishing kingdom,
amongst your smokes and mists,

He stands naked against the gale,
his guilt cast off by the elements,
with no need of sword or shield,
his word is his power, his sacred heart
and out of the blood of murdered kings,
a new prince steps forth, proceeds.

Amanuensis

'S aithne dhomh thu tro fhaclan,
a dh'iarras sgailc is crith a chur
seach am miann do chiall,

nach seas leò fhèin, gun
cheangal-lìn do dh'fhaidhle fuaime,
làn dhìot aig àrd do chlaigeann,
clamhan laigheach na mo chluais.

B' fheàirrde greis uaigneis,
a chluinntinn, na smuaintean
diogach a nì sealg a' ghleoc,
is tu leat fhèin an uchd do dheasg,

Gun fheum air èisteachd.
'S lugha fiù 's iùnnrais tuineil,
buill-bodhaig is aigeallain-cluais'.

Thoir dhomh na tha nad bhroinn,
seach na chuireadh tu air leth,
aig feadhainn eu-choltach riut;
bana-bhàrd bhalbh à sealladh.

Sgrìobh sinn fhìn, fada o
bhathar fiosrach ort; mus do
ghrèimich do làmh bhalachail
peann, mus do chaith thu

An dubh-sgrìobhaidh, do-
sgriosta thar an talla làn.
'S mar sin, chan thu an

Amanuensis, ach guth a-mhàin,
air leth, nach lugha, a shireas
fhathast a langanaich fhad 's
a sheinnear òran leighis.

Figh, dhòmhsa, faclan a-
steach do thapais fharsaing.
Seachain lainnir shaith nan
snàithlean-òir, a ghoideadh

An soillse a chom-pàirtich
sinn a-riamh, romhad.
Tagh clò buan, na àite.

Ged 's gun mhaise sin no
ascaoin do bhas na làimh',
ceann ga bhleith is loireach;
dh'fhaoidte gum mair e an aois.

Amanuensis

I know you through words
which strive to shock, more
than to elucidate,

That cannot stand alone,
without a link to your
yelled-out ire, which lies
so sickly in my ear.

I would hear those moments
of silent solitude, the thoughts
that tick to chase the clock
and you, alone at your desk

With no need for an audience.
Less so, the swirling tempest
of limbs and dangling earrings.

Give me what lies within,
not that appropriated from
those unlike you; the
muted poetess, off-stage.

We wrote, ourselves, long before
the knowledge of you; before
your puerile hand could
clutch the pen, or send the

Ink pot flying, indelible in
a crowded hall. And so,
to me you are no

Amanuensis, but a voice,
unique, no less, that still
seeks to out-sing the throng,
long in need of healing.

Weave, for me, your meaning
into a wider tapestry.
Shun the gawdy glint of
golden threads, that seek

To steal the light, that
we have ever shared.
Choose a lasting tweed.

Though it may be ugly or
rough-hewn upon the palm,
frayed and matted at the end;
it may just last the ages.

Sìth nar n-Eileanan

Airson nan L, nan G, nan D is nan T
is a h-uile duine eile, gun teagamh.
(Chan eil Q sa Ghàidhlig—fhathast.)

Tha mi ag iarraidh gun
ceumnaich thu ar
sràidean le pròis;

Sùil gheur air do mhiann is
sin an t-amas a-mhàin;
geal nad amharc.

Tha mi ag iarraidh gun
ceumnaich thu air ar
sràidean, slàn;

Gun fheum air
coimhead air ais,
gu làithean bagarrach.

'S e mo mhiann-sa
do phaisgeadh am
blàths mo spèis;

Spèis air nach eil tuar,
pinc no gorm,
ach tuar òir a-mhàin—
prìseil, fhathast, ach
ga thoirt seachad gu
fialaidh 's an asgaidh.

'S e mo mhiann-sa
adhartas a dhèanamh
dhen t-slighe.

Adhartas gun chumha,
gun chìs, ach
cor co-rèiteachaidh—
brìgh an strì am
blas co-ionnanachd is
fìorachas riochdachaidh.

Tha mi ag iarraidh gun
cleachd an saoghal ainm do rogha
gun tuigear g' eil d' eachdraidh
an gach lide is fuaim ann.

Tha mi ag iarraidh gum fairich
thu fhèin g' eil thu dìon,
comasach air aghaidh a chur ri
gràin is foirneirt and t-sluaigh is
do chòirichean coileanta,
gan cur gu feum.

Síocháin inár nOileáin

Do na L, na A, na D is na T
is gach duine eile, ar ndóigh.
(Níl Q sa Ghaeilge—go fóill.)

Tá mé ag iarraidh go
siúlfaidh tú ár
sráideanna le bród;

Súil ghéar ar do mhian is
sin an sprioc amháin;
geal i do amharc.

Tá mé ag iarraidh go
siúlfaidh tú ar ár
sráideanna, slán;

Gan ghá le
hamharc ar ais,
ar laethanta bagracha.

Is éard atá uaim
ná d'fhilleadh i
dteas m'urraime;

Meas gan dath,
bándearg nó gorm,
ach imir óir amháin -
luachmhar, fós, ach
á chur ar fáil go
fial is in aisce.

Is é mo mhiansa
dul chun cinn a dhéanamh
ar an tslí.

Dul chun cinn gan choinníoll,
gan bhac, ach
ceart comhréitigh –
brí na troda i
mblas comhionannais is
fírinne inár léiriú.

Tá mé ag iarraidh go
n-úsáidfidh an saol do rogha ainm
go dtuigfear go bhfuil do stair
i ngach siolla is fuaim ann.

Tá mé ag iarraidh go n-aireoidh
tú féin go bhfuil tú cosanta,
ábalta aghaidh a thabhairt
d'fhuath is d'fhoréigean an phobail is
do chearta uilig,
á gcur i bhfeidhm.

Beàrnan

Don t-Seirbhis-slàinte, 3s an Lùnastail

Tha mi crom ris, mionaid,
a' studaigeadh eas-creideamh
an t-srutha ghlèidheadh, coileanta,
anns a' bhobhla-phlastaig seo.

A' nochdadh a' chuise, a'
taghadh loidhne dìreach
no trasnadh, a' legeil le
pinndeachadh purpaidh

Slighe na sgèine a
dheachdadh, mo ghrèim
gun an teinnead a
dh'iarrainn, mar sin,

A' slaodadh mu rèir i,
liorc sa chraiceann is
gath air an lann nach geur
mus feith mi a tarraing as ùr.

Cuairt eile romham, breabag,
sgolt mall sa chraiceann,
sgaradh, chì mi beàrn tana
ro chaol airson a' mhiann.

A' feuchainn mo chùlagan a
bhleith troimhe, an dìorraich
thar-shuidheachadh dh'àite
ghabhadh steach i agus

An sgian, as ùr, an car a' bhobhla,
a' faicinn shìos an t-iarmad chacach,
làrach biadh làitheil, ar leam,
air a ghlanadh gun rath.

An gilead a ghlèidh e,
gun smàl air sgeilp na bùtha,
air a thrèigsinn gu leisg is
a' coimhead ris, leth ri
falmhachd mhùnlaicht' ann,
a' togail mo cheann, suas, a-mach,
caithidh mi ùrnaigh dh'àiteigin,
mus till mi e dhan t-sinc.

Dòch' gum faighnich mi a-màireach,
an leigear leam fhaicinn *shrink*.

Scoilteanna

Don tSeirbhis Sláinte, 3 Lúnasa 2019

Tá mé cromtha leis, ar feadh nóiméid,
ag machnamh ar cé chomh haisteach is atá sé
an sruth iomlán a cheapadh
sa bhabhla phlaisteach seo.

Ag nochtadh na féithe, ag
roghnú líne dhíreach
nó thrasnánach, ag ligean don
fháscadh corcra

bealach na scine a threorú,
mo ghreim gan an
neart a d'iarrfainn,
mar sin,

ag tarraingt air ais,
roc sa chraiceann is
scian gan faobhar
sula fhanaim lena tarraingt aríst.

Iarracht eile, baintear freanga asam,
scoilt mhall sa chraiceann
scaradh, feicim deighilt thanaí
róchaol don mhian.

Ag iarraidh mo chúlfhiacla a
dhíoscadh tríd, na drithlíní
aistrithe go háit úr
a nglacfadh leo, seans, agus

An scian aríst in aice an bhabhla,
ag amharc anuas ar an iarsma cacmhar,
rian an chothaithe laethúil, is dócha,
glanta gan rath.

An bháine a luí air
gan smál ar sheilf an tsiopa
tréigthe go leisciúil falsa is
ag breathnú uirthi, is ar
an fhoilmhe thruaillithe inti,
ag ardú mo chinn aníos, amach
caithim guí le neach éigin
sula bhfillim ar an tsinc.

Seans go bhfiafróidh mé amárach,
an ligfear dom a fheiceáil *shrink*.

Fìrinn is Breug

Gairm an fhòin:
guth cothromach, droch naidheachd,
ri sgeulachd a b' aithne dhomh mu thràth.

Rud a tha mi air bhith cluinntinn
sia bliadhna is còrr.

Mo roghainn, bhith gabhail rithe gu modhail,
a' mealadh cothrom an neach a shoirbhich
ach an turas seo, dh'innis mi dha mo chor.

Dhiùlt mi an ubhaidh is am moladh,
mo chuid fhileantais a chluinntinn a-rithist.
Tha mi luma làn is fios agam, agus
gach là na mheanbh-fhorran.

Carson i, carson thu agus ciamar?

Ged as deagh-rùn aig cridhe an iongantais,
tha mi sgìth dhem làthaireachd a mhìneachadh.

Gairm an fhòin:
bròn nam ghuth,
a' chùis ri aideachadh riuthsan
bha an dùil rithe co-dhiù,
ris na chanainn is iad air a chluinntinn,
uair is uair is uair.

Ach an turas seo:
aideachadh agamsa ri dhèanamh,
farsaingeachd na h-easbhaidhe
agus gun ach ospag,
gun fhacal tha an fhreagairt.

Mi fhìn is mo chruaidh-fheum,
am bàillidh gam ruaig aig an doras.

Mar sin, le ur toil, na innsibh dhomh
neònachas mo sgeòil,
eas-creideamh m' fhear-ghleusa.
Chan eil sin ach crùn fuadain
a bhuilicheadh sibh orm agus
mo bhrù de bhiadh cho gann.

Coimhead ris na cothroman
a tha sibh fhèin air cruthachadh:
ur balaich 's ur clann-nighean
àlainn ach aineolach ron t-saoghal,
gan èirich gu inbheachd,
le iuchraichean ur cinnidhean nam beòil.

Nuair a sheas mi eadar colbhan Elphinstone,
bha mi air ceannsachadh mo mhì-chinnt,
an ìmpis àite a shnaidheadh dhomh fhìn,
an coille dhubh bha fhathast gun shoilleireachadh.

Nam biodh am fios th' agam nise,
agam san àite 's aig uair bha sin,
bhithinn ri caismeachd ais dhan talla
oir is teisteanas gun chiall a bhuinnig.
Mi gun urrainn riochd ur sliochd
a chur umam, fiù 's nam feuchainn.

Innnsibh dhomh na àite
na chanas sibh orm an iar,
na chaidh a sgrìobhadh gus mo mhuineadh:
"*it is impressive that someone*
with no Gaelic background
has made such an effort to learn the language
to a good level of fluency
and strive to make a career out of it."

Leis an iomradh sin,
chruinnich sibh gus m' fhaicinn,
gam chaitheamh a-steach dhan t-sloc.
Mi fhìn a' feuchainn mo shaoradh,
nàire mo bhròn-bhàis a sheachnadh,
m' ìnean a' cnacadh air clachan,
oir is curraidh na ballachan rin dìreadh.

A-nochd,
a' sparradh gàire air mo ghnùis,
ghèill mi do dh'uaisleachd choisinn do phrìs.
Thug mi an fhàilte as blàithe
a b' urrainn dhomh seachad,
ro shluagh ùr, làn dòchas is ùidh,

Ach bha agam ri cur romham
an sgaoilinn sin ur breug
no an cumainn fhìn an fhìrinn
balbh air mo theanga.

'S mo shùil chàirdeil ùr sgàthan,
mo chridhe creinte agus reicte:
gach turas bidh mi a' taomadh a-mach
a h-uile rud gun rath nam bhroinn agus
gach turas is sibh nì às leis,
gun ach mo chuid falamhachd
air fàgail lom eadar mo làmhan.

Truth and Lie

The phone rings:
a fair voice, bad news,
with a story I already know.

Something I've been hearing
for six years or more.

My choice, to accept politely,
celebrate the success of the successful
but this time, I spoke my own circumstance.

I rejectected the charm and commendation,
my own fluency again.
I am fit to burst and know full well and
every day is a micro-aggression.

Why it, why me and how?

Whilst good will is at the heart of the curiosity
I am tired of explaining my presence.

The phone rings:
depressed voice,
I have to disclose to those
who expected it anyway,
what I'd say and what they've heard,
time and time again.

This time:
an admission of my own,
the extent of the deficit
and only a gasp, as
the response is wordless.

Me and my desperation,
the bailiff pursues me at the door.

So, please, don't tell me
the strangeness of my tale,
the incredulity of my achievement.
That is but a counterfeit crown
to bestow upon me
and my belly is hollow.

Look to the opportunities,
you, yourselves, have created:
your boys and girls
splendid but ignornant of the world,
raised into maturity,
with the keys of your kinship in their mouths.

When I stood between the Elphinstone columns,
I had conquered my own disquiet,
on the brink of carving my own place
in the blacked out forest.

If I'd known then what I know now,
in that place, at that time,
I'd have marched back into the hall
with the meaningless qualification I'd won.
Unable to assume your likeness,
even if it was what I desired.

Tell me instead,
what you say behind my back,
what was written to degrade me:
"it is impressive that someone
with no Gaelic background
has made such an effort to learn the language
to a good level of fluency
and strive to make a career out of it."

With that citation,
you gathered to watch me,
cast into that chasm.
Me, trying to free myself,
to escape the shame of my own tragedy,
my fingernails snap on the stones,
these walls an onerous ascent.

Tonight,
slapping a smile across my face,
I surrender to a dignity hard earned.
Gave out the warmest welcome
I could muster,
before a new cohort, full of hope and intrigue,

But I had to decide
if I'd unfurl your lie
or if I'd keep the truth
mute on my tongue.

My eye of friendship is your mirror,
my heart bought and sold:
each time I bale out
every little thing inside and
you make off with it every time,
leaving only my own emptiness
naked between my hands.

Soisgeulaich

Nuair a thèid a' ghrian fodha,
màirnidh mi oirbh, cuairtichte
le clachan aosmhor;

Nur cluasan, ruitheaman ur
guthan fhèin, gan cur ri
ceumannan mhanach marbh.

Nuair a dhùisgeas sibh air
madainn òg, chì sibh a'
ghrian ùr ri èirigh;

So-dhèantas slighe romhaibh,
le ur cuimhne air na seachad,
is beachd air càit' an tèid sinn

Leis a' chànan—
a' treabhadh clais ùr ann an
lentaileachd shaoghalmhor.

Evangelists

When the sun sets,
I think of you, surrounded
by ancient stones;

In your ears, the rhythm of
your voices, added to the
echo of dead monks' soles.

When you wake to a new
morning, it is a new sun
ascendent you will see;

The possibility of a new path
unfolding, memory of the past
informs where we will take

Our language—
plough a new furrow
in a world-wide continuum.

Crò-naomh

Do Rosemary
le taing airson a taice thar nam bliadhnaichean

Là a mhothaicheas mi bleith mo chraicinn,
na pòraichean mar phortail, trom bolg na seachd gaothan

Agus mi aonarach, nam sheasamh air geur-charraig lom,
a' coimhead a-mach o iomall mo chogais,
seachd siantan nan snuadh mum chuairt,
Feuch an èist mi ri stoirm a' bhùitich,
dochdadh ludaig is fàs an fheòir, oir is

Staid chugallach tha seo agus frionas anns gach cealla,
cagar cuimhne chuireas gaoir trom fheòil,

Cuislean eanchainn ri dìosgail,
ga fhaireachdainn na fhrìth-bhuille
tro gach gaoisnean cinn agus, mu dheireadh,

Geataichean chnàmhan mo chlèibh a' luaisgeadh, fosgailte
air là bheir air mo chridhe bhith na chrò-naomh
is e air ad is fuilteach,
a' leigeil leus-ghath mo bhith-bhrìgh—

Là as urrainn bhith ri bàrdachd.

Sacred Heart

For Rosemary
with thanks for her support over the years

A day to feel my skin eroding,
the pores like portals, through which the seven winds billow

And I am alone, standing desitute on the cliff-edge,
looking out to the edge of my consciousness,
the elements aflow around me,
I might try to hear my internal tinnitus,
the strain of the pinkie and the grass' own growing, because

This is a state of peril and vexation in every cell,
the whisper of memory sends a frisson down my spine,

The arteries of the mind are creaking,
felt through the vibration
in the head and every hair until, eventually,

The gates of my ribcage swing, open
on a day that makes my own into a sacred heart
and it is swollen and bleeding,
emitting the sultry beam of my being—

A day for making poetry.

Buidheachas

Seo leabhar eile ri chur air an sgeilp agus 's ann le cinnt gun feum mi buidheachas mòr a th' ort do Mhìcheal Everson airson luach fhaicinn san obair is san ùghdar aig àm a bha làn cruaidh-fheum, gu pearsanta agus gu proifeiseanta. Fàilte air an dùthaich, a charaid! Taing gun teagamh do dh'Alison Lang, John Storey is sgioba Chomhairle nan Leabhraichean. Tha ur dìcheall gun phrìs is corra uair gun diù, ach cha bhiodh litreachas na Gàidhlig maireann às ur n-aonais.

Taing do Sham Ó Fearraigh airson eadar-theangachaidhean na Gàidhlig Èireannaich agus do Ghillebrìde MacIlleMhaoil, do Sheaghán Mac an tSionnaigh agus do Sham airson an cuid taic-deasachaidh.

Tha mi fortanach a bhith air mo chuairteachadh le sàr-bhoireannaich foghlamaichte, fiosraichte, tàlantach is eòlach a chumas taic is comhairle rium. Rosemary Ward, Màiri Anna NicUalraig, Seònaid NicGriogair, Dolina NicIllFhinnein, Cathy NicDhòmhnaill, Jackie Cotter, Toria Caine, Joy Hendry, Agnes Rennie, Màiri Johnstone agus Rachel Walker. Cha bhiodh am Bàrd Beag ann, às ur n-aonais. Taing son mo chumail a' dol agus son an fhìrinn innse dhomh, daonnan. 'S sibhse na calmain ghlice.

Taing do Aonghas Tully, Stiùbhart MacLeòid agus do Chòisir Ghàidhlig Lodainn, gach fear is tè eadaraibh—nach sinne am feachd saifeir! Do sgioba Phoblachd nam Bàrd: Neil Young, Hugh McMillan agus Magi Gibson. Do dh'Asif Khan, buill-bùird is luchd-obrach Leabharlann Bàrdachd na h-Alba. Do na h-Eiricich. Do Nick Turner a thug m' òrain air ais thugam. Guma fada buan sibh.

Do na bàird comain is caraidean agus mòran dhiubh airidh air moladh. Do Phàdraig MacAoidh is Daibhidh Eyre a thug dhomh taic le feadhainn de na dàin san leabhar seo. Do Cho-nasgadh Sgrìobhadairean na h-Alba. Do Lesley Traynor airson na film-dhàin agus Carla Woodburn agus Christie Williamson—Express Yourselves! Don teaghlach a chruthaich mi umam. Do Chiorstaidh Ruadh NicLeòid. Do Karen is Kerry Mitchell—Momma 2. Do Riocárd Ó hOddáil. Do Marie Seljehaugh Johansson, Lily Thurner, Anna Karbowska, Ceitidh Chaimbeul, Cearaidh Cheanadach, Louise NicIllEathain, Emma NicLeòid, Ruth Lunny, Lowenna Hosken, Marit Fält agus Rona Wilkie.

Do Chairistìona NicChonghail, Mairead NicÌomhair, Michelle NicLeòid agus Moray Watson airson am foghlam aig Oilthigh Obar Dheathain. Do dh'Eideard Dwelly airson nam faclan.

Do Mhagaidh Hearach, nach maireann. Bidh mi a' bruidhinn riut fhathast, nach bi?

Dhuibhse rinn mo chàineadh, mo thrèigsinn no mo mhùchadh. Chan ainmich mi sibh ach tha mi taingeil dhuibh co-dhiù. 'S sibh a chuir dùbhlan romham. Chì sibh an Ainneamhag a' sìor-èirigh an aircis nan reultan. Do Dhùn Èideann is Eabhraig. Na bailtean as bòidhche air an t-saoghal mhòr. Do dh'Èirinn.

Do dh'Antaidh Cairistìona, Phil, Rob agus Raye. Do mo sheanairean mach maireann, ach daonnan rim thaobh agus, thar chàich, do mo phàrantan, Terag is Peadar Mic an Tuairneir. Tha mo ghaol oirbh agus is sibhse na seòid. Do dh'Iosua—mo leòmhann-duine, mo shaoghal.

Taing dhuibhse airson na rannan seo a leughadh, uair eile. Cha robh mi an dùil ris a' cho-chruinneachadh seo a chur an clò, ach uaireannan feumaidh tu d' òran-anama a ghabhail is mar a tha fhios agaibh, cha phaisg mi mo phìob! Cha phaisg fhathast, co-dhiù...

Marcas Mac an Tuairneir
Dùn Èideann, Am Faoilleach 2020

"A Dhia, thoir dhomh an Soineantas gus gabhail ris na rudan
nach gabh mi atharrachadh,
Smioralas gus atharrachd a thoirt air rudan, mar as urrainn,
agus Gliocas gus an coachladh a thuigsinn."
—Reinhold Niebuhr

161

Thanks

Here's another book to add to the shelf and I certainly need to give huge thanks to Michael Everson for seeing worth in the work and the author at a time that presented certain challenges, both professionally and personally. Welcome to the country, my friend!

Thanks also must go to Alison Lang, John Storey and the Gaelic Books Council team. Your efforts are invaluable and often without due recognition, but there would be no lasting Gaelic literature without you.

Thanks to Sam Ó Fearraigh for his translations into Irish Gaelic, and to Gillebrìde MacIlleMhaoil, to Seaghán Mac an tSionnaigh and to Sam for their editorial support.

I'm fortunate to be surrounded by excellent women who are educated, informed, talented and experienced and who continue to give me support and prudent council. Rosemary Ward, Mary Ann Kennedy, Janet MacGregor, Dolina MacLennan, Cathy MacDonald, Jackie Cotter, Toria Caine, Joy Hendry, Agnes Rennie, Màiri Johnstone, and Rachel Walker. There wouldn't be a Bàrd Beag without you. Thanks for keeping me going and always telling me the truth. You are my wise doves.

Thanks to Angus Tully, Stewart MacLeod, and Lothian Gaelic Choir, each and every one of you—the sapphire army! To the Poets' Republic team: Neil Young, Hugh McMillan, and Magi Gibson. To Asif Khan, board and staff members of the Scottish Poetry Library. To the Heretics. To Nick Turner who gave me back my song. Onwards and upwards.

To the fellow bards and friends, so many of you worthy of recognition. To Peter Mackay and David Eyre who supported me with a few of the poems in this book. To the Federation of Writers (Scotland). To Lesley Traynor for the film-poems and Carla Woodburn and Christie Williamson—Express Yourselves!

To the family I've gathered around me. To Kirsty MacLeod. To Karen and Kerry Mitchell—Momma 2. To Richard Huddleson. To Marie Seljehaugh Johansson, Lily Thurner, Anna Karbowska, Ceitidh Campbell, Kerrie Kennedy, Louise MacLean, Emma MacLeod, Ruth Lunny, Lowenna Hosken, Marit Fält, and Rona Wilkie.

To Christina McGonigle, Mairead MacIver, Michelle MacLeod, and Moray Watson for the Aberdeen University Education.

To Edward Dwelly for the words.

To the late Maggie MacDonald. I still talk to you don't I?

To those of you that gave me a good slagging off, betrayed me, or censored me. I won't name you, but I thank you nonetheless. You threw the gauntlet down. But, the Ainneamhag soars ever-upwards, towards the stars, so enjoy the view.

To York and Edinburgh. The most beautiful cities on Earth. To Ireland.

To Aunty Christine, Phil, Rob, and Raye. To my late grandparents, who are always beside me, but above everyone else, to my parents Teresa and Peter Turner. I love you very much and you're pretty heroic, really. To Joshua—my lionman, my world.

Thanks to you for reading these lines, one more time. I never expected to be publishing this collection, but sometimes you have to sing the song the soul wants to sing and, as you know, I'm not one for holding back! Not yet, anyway…

Mark Spencer Turner
Edinburgh, January 2020

"God grant me the Serenity to accept the things I cannot change,
Courage to change the things I can,
and Wisdom to know the difference."

—*Reinhold Niebuhr*

Aideachaidhean

Ghlèidh "#AgusMise" dàrna àite ann an Co-fharpais Bàrdachd Gàidhlig Bhaile na h-Ùige agus chaidh fhoillseachadh air làrach na fèise.

Chaidh dàin eile fhoillseachadh ann an seann-chruthan, no cruthan làthaireach, anns na leanas:

New Writing Scotland, *Comann Ceilteach Oilthigh Dhùn Èideann: 180 Bliadhna / Edinburgh University Highland Society: 180 Years* (Custal y Lewin agus Marcas Mac an Tuairneir, eds.), Brain of Forgetting, Bella Caledonia, Gutter.

Chaidh "Duine" fhoillseachadh ann am prògram StAnza agus air an làraich-lìn ann an 2020.

Chaidh "Duf na Nollaig" a choimseanadh airson Vespers is a leughadh an-sin anns an Dùbhlachd, 2020.

Chaidh "Òran a' Chalmain" a choimiseanadh agus an uairsin a leigeil seachad airson tagradh na h-Alba do Cho-fharpais Eurovision nan Còisirean ann an 2019. Chaidh a chraoladh mar phàirt de Sheirbhis na Nollaig air BBC Alba, bho Eaglais nam Manach Liath, Dùn Èideann, air an aon bhliadhna.

Chaidh "Apardjón" agus "Tromsøya" a choimiseanadh don Venice Biennale ann and 2016 agus fhoillseachadh ann.

Chaidh co-sheirm a chur ri "Grioglachan" le Màiri Anna NicUalraig airson an coimisean aice "Beul na h-Oidhche gu Camhanaich" aig Fèis Blas ann an 2016 agus an uairsin a chlàradh air *An Dàn* (Watercolour Music, 2016). Ghabh Marcas an t-òran sa chuairt dheireannaich ann an Co-fharpais Bonn Òr an t-Seann-nòis ann an Glaschu aig a' Mhòd Nàiseanta Rìoghail ann an 2019.

Nochd "Là Luain" air a' chlàr *Gaol* aig Rachel Walker (Ròs Dearg Records).

Acknowledgements

"#AgusMise" ("#MeToo") came second in the Wigtown Gaelic Poetry Competition and was featured on the festival's website.

Other poems were published in previous or current form in the following: New Writing Scotland, *Comann Ceilteach Oilthigh Dhùn Èideann: 180 Bliadhna / Edinburgh University Highland Society: 180 Years* (Christopher Lewin and Mark Spencer Turner, eds.), Brain of Forgetting, Bella Caledonia, Gutter.

"Duine" ("Man") featured in the StAnza 2020 programme and website.

"Duf na Nollaig" ("Christmas Pudding") was commissioned for Vespers and was performed there in December, 2019.

"Òran a' Chalmain" ("Dovesong") was commissioned and later dropped for the Scottish entry for 2019 Eurovision Choir competition. It was broadcast as part of the BBC Alba Christmas Service from Greyfriar's Kirk, Edinburgh in the same year.

"Apardjón" ("Apardion") and "Tromsøya" were commissioned for the 2016 Venice Biennale and published there.

"Grioglachan" was set to music by Mary Ann Kennedy for her 2016 Blas Festival commission "Beul na h-Oidhche gu Camhanaich" and was later recorded for and released on her album *An Dàn* (Watercolour Music, 2016). Marcas sang the song in the Traditional Gold Medal Final at the Glasgow Royal National Mòd in 2019.

"Là Luain" ("The Day that Never Comes") features on Rachel Walker's album, *Gaol* (Ròs Dearg Records).

Lightning Source UK Ltd.
Milton Keynes UK
UKHW010925250621
386132UK00001B/2